Os Remédios Florais do Dr. Bach

Incluindo
CURA-TE A TI MESMO
Uma Explicação sobre a Causa
Real e a Cura das Doenças

e
OS DOZE REMÉDIOS
e outros remédios

Dr. EDWARD BACH

Os Remédios Florais do Dr. Bach

Incluindo
CURA-TE A TI MESMO
Uma Explicação sobre a Causa
Real e a Cura das Doenças

e
OS DOZE REMÉDIOS
e outros remédios

Tradução
ALÍPIO CORREIA DE FRANCA NETO

Editora
Pensamento
SÃO PAULO

Títulos originais: *Heal Thyself* e *The Twelve Healers*.

Copyright da edição brasileira © 1990 Editora Pensamento-Cultrix Ltda.

19ª edição 2006 (catalogação na fonte, 2006).
9ª reimpressão 2019.

Todos os direitos reservados. Nenhuma parte deste livro pode ser reproduzida ou usada de qualquer forma ou por qualquer meio, eletrônico ou mecânico, inclusive fotocópias, gravações ou sistema de armazenamento em banco de dados, sem permissão por escrito, exceto nos casos de trechos curtos citados em resenhas críticas ou artigos de revistas.

A Editora Pensamento não se responsabiliza por eventuais mudanças ocorridas nos endereços convencionais ou eletrônicos citados neste livro.

Dados Internacionais de Catalogação na Publicação (CIP)
(Câmara Brasileira do Livro, SP, Brasil)

Bach, Edward
 Os remédios florais do Dr. Bach / Edward Bach ; tradução Alípio Correia de Franca Neto. – 19. ed. -- São Paulo : Pensamento, 2006.

Título original : Heal thyself e the twelve healers
Incluindo: Cura-te a ti mesmo : uma explicação sobre a causa real e a cura das doenças e Os doze remédios e outros remédios.
ISBN 978-85-315-0577-5

1. Flores - Uso terapêutico 2. Flores - Uso terapêutico - Estudo de casos I. Título.

06-1441   CDD-615.85

Índices para catálogo sistemático:
1. Essências florais : Terapias alternativas 615.85
2. Flores : Uso terapêutico : Terapias alternativas 615.85

Direitos reservados
EDITORA PENSAMENTO-CULTRIX LTDA.
Rua Dr. Mário Vicente, 368 – 04270-000 – São Paulo, SP
Fone: (11) 2066-9000 – Fax: (11) 2066-9008
E-mail: atendimento@editorapensamento.com.br
http://www.editorapensamento.com.br
Foi feito o depósito legal.

Sumário

Prefácio 9

CURA-TE A TI MESMO
Uma explicação sobre a causa real e a cura das doenças

Capítulo I 15
II 19
III 25
IV 31
V 39
VI 45
VII 53
VIII 61

OS DOZE REMÉDIOS
e outros remédios

Introdução 71

OS REMÉDIOS E AS RAZÕES DE CADA UM

Para os que sentem medo 75
Para os que sofrem de indecisão 77
Falta de interesse pelas circunstâncias atuais ... 79

Para a solidão 81
Para os que têm sensibilidade excessiva a influências e opiniões. 82
Para o desalento ou desespero 84
Excessiva preocupação com o bem-estar dos outros 87

Métodos de dosagem 91

*Este livro é dedicado
a
todos os que sofrem
ou
que estão em situação angustiante*

PREFÁCIO

Em junho de 1988, chegou às minhas mãos o livro *La Medicina Floral de Edward Bach*, da psiquiatra argentina Maria Luisa Pastorino. Recebi-o de um amigo que vem me auxiliando no caminho espiritual há muitos anos e que mencionou, na ocasião, a importância desse estudo, devido à grande necessidade de cura no momento atual.

Dias mais tarde, outro amigo, um psiquiatra que já lidava com a medicina floral havia tempo, trouxe-me novos textos sobre o assunto, e tive clareza interior de que era hora de estudá-lo mais profundamente.

Algum tempo depois, passei a prescrever os remédios florais no dia-a-dia do consultório. O primeiro caso tratado foi o de uma mulher que, após ter se submetido a um transplante de córnea, passara a ter pavor de acidentes de automóvel. Tendo sofrido sete anos desse medo intenso, do qual não conseguia libertar-se, veio a saber que fora de um acidente automobilístico que o doador da córnea havia desencarnado. Decorridos três meses de tratamento, o medo desapareceu completamente, não retornando mais.

Hoje, após o acompanhamento de centenas de casos, posso testemunhar a eficácia desses remédios florais e a grande ajuda que podem dar à humanidade nestes momentos de transição, auxiliando a harmonização dos corpos sutis (etérico, emocional e mental) e facilitando a livre fluência das energias superiores através da personalidade.

Edward Bach, o notável médico inglês, teve como missão descobrir esses remédios para estados emocionais e mentais em desequilíbrio. Ele nasceu em setembro de 1886, em Moseley, um povoado perto de Birmingham, na Inglaterra. Desde criança demonstrou grande amor pela natureza, forte poder de concentração, excelente sentido de humor e profunda intuição e sensibilidade. Já na idade escolar, havia tomado a decisão de seguir a carreira médica.

Aos 20 anos ingressou na Faculdade de Medicina de Birmingham. Concluído o curso, especializou-se em bacteriologia, imunologia e saúde pública. Durante a I Guerra Mundial, trabalhou intensamente, sendo responsável por 400 leitos de feridos de guerra no Hospital Universitário.

Naquela época, Bach pôde observar como os pacientes reagiam diante das enfermidades e como essa reação influía no curso delas. Percebeu que o mesmo tratamento aplicado a pessoas diferentes nem sempre curava a mesma enfermidade, que medicamentos eficazes para algumas não atuavam em outras, e que pacientes similares em temperamento melhoravam com o mesmo remédio. Tornou-se para ele evidente que, no tratamento das enfermidades, a índole do paciente tinha mais importância que o seu corpo físico.

Antes de se dedicar ao estudo dos remédios florais, o espírito pesquisador de Bach levou-o a descobrir uma vacina que curava doenças crônicas. Prosseguia seus estudos no aperfeiçoamento da vacina, quando, em julho de 1917, foi acometido de um mal incurável. Embora tenha sido operado, os médicos lhe deram somente três meses de vida. Imbuído da idéia de terminar suas investigações, abandonou o hospital antes de receber alta e fechou-se em seu laboratório, trabalhando dia e noite. Passaram-se os dias e, finalmente, percebeu que estava completamente curado. Essa experiência levou-o à conclusão de que um interesse absorvente, um grande amor ou um propósito definido na vida são fatores decisivos para a saúde e a felicidade do homem. Bach vivenciou a importância do equilíbrio emocional na cura das enfermidades.

Em 1919, passou a trabalhar como patologista e bacteriologista do Hospital Homeopático de Londres. Entusiasmou-se pela homeopatia, na qual encontrou muita semelhança com as suas próprias idéias e observações. Nos anos seguintes, aprofundou seus estudos da obra de Hahnemann, fundador da homeopatia. Decidiu preparar suas vacinas com a técnica homeopática e criou vacinas orais, que tiveram ampla aceitação no meio médico.

Em 1929, aos 43 anos de idade, Bach era respeitado por alopatas e homeopatas de toda a Europa. Estava em pleno êxito profissional como clínico e pesquisador, quando, obedecendo a um chamado interior, abandonou todas as suas atividades na cidade e partiu para o campo, em busca de novos remédios. Entre 1930 e 1934 descobriu os 38 remédios florais e escreveu os fundamentos de sua nova medicina.

De volta à civilização, verificou a eficácia dos medicamentos e compreendeu a grande ajuda que poderiam dar à humanidade doente. Em 1936, disse a seus colaboradores: "Minha tarefa está cumprida; minha missão neste mundo está terminada." Poucas semanas depois, enquanto dormia, Bach abandonou definitivamente seu corpo físico, retornando às dimensões imateriais da vida. Deixou-nos um conhecimento profundo e, ao mesmo tempo, simples, a ponto de permitir a automedicação e a prescrição por leigos. No entanto, cabe-nos ressalvar que a automedicação exige autoconhecimento e capacidade de observação, sem que o indivíduo se identifique com as próprias emoções. Isso requer um nível evolutivo que nem todos possuem. Da mesma forma, a prescrição por leigos pode ser feita, desde que conheçam profundamente os remédios, as regras básicas para a escolha, tenham sensibilidade, intuição e compreensão das leis espirituais que estão sendo violadas pela pessoa. Do contrário, correm o risco de indicar o remédio errado que, ainda que não provoque distúrbios, deixa de atingir o fim desejado. Na prática, portanto, a automedicação e a prescrição por leigos são tarefas de poucos.

Deve-se salientar que esses remédios podem ser usados concomitantemente a outros tratamentos e não provocam efeitos colaterais. Figuram entre os sistemas médicos alternativos reconhecidos e recomendados pela Organização Mundial de Saúde. São as seguintes as regras básicas para a sua prescrição:

1 — Verificar as causas dos sintomas relatados, pois os remédios florais removem os bloqueios emocionais e mentais em sua raiz.

2 — Limitar o número de remédios florais, numa mesma composição, ao mínimo possível. O ideal é não passar de seis no mesmo frasco; quanto menos de cada vez, melhor.

3 — Deve-se hierarquizar as emoções em desequilíbrio, ou seja, selecionar as principais desarmonias que dominam o quadro, para se encontrar o remédio adequado.

4 — Os estados emocionais e mentais em desequilíbrio devem ser conscientes ou perceptíveis à observação de quem prescreve.

5 — O remédio atua da superfície para a profundidade. Equilibrada uma situação, poderá emergir um novo aspecto desarmonioso, que requerirá outro remédio.

O livro *Cura-te a Ti Mesmo*, aliado a *Os Doze Remédios*, leva-nos a uma compreensão mais profunda das causas das doenças e fornece chaves para a verdadeira cura interior.

Dr. EMERSON DE GODOY CORDEIRO MACHADO
Abril, 1990

CURA-TE A TI MESMO
Uma explicação sobre a causa real e a cura das doenças

CAPÍTULO I

Não é objetivo deste livro sugerir que a arte de curar é algo desnecessário; longe de nós qualquer intento semelhante; no entanto, espera-se humildemente que ele seja um guia para todos os que sofrem para buscar dentro de si a verdadeira origem de seus males, de modo que possam ajudar na cura de si mesmos. Ademais, espera-se que ele possa incentivar os que, tanto na profissão médica como nas comunidades religiosas, têm a saúde da humanidade no coração, para que intensifiquem seus esforços na busca da redenção do sofrimento humano e, assim, antecipem o dia em que a vitória sobre a doença estará completa.

A razão principal do fracasso da medicina moderna está no fato de ela se ocupar dos efeitos e não das causas. Por muitos séculos, a real natureza da doença foi encoberta pela capa do materialismo e, assim, têm sido dadas à própria doença todas as oportunidades de ela propagar sua destruição, uma vez que não foi combatida em suas origens. Essa situação é semelhante à do inimigo que construiu uma sólida fortaleza nas colinas, comandando de lá constantes operações de guerrilha no país vizinho, enquanto as pessoas, ignorando a praça forte, contentam-se em reparar as casas danificadas e em enterrar seus mortos, conseqüências das ofensivas dos saqueadores. Essa é, em termos gerais, a situação da medicina nos dias de hoje: consertar às pressas os danos resultantes do ataque e enterrar os mortos, sem que se dê a mínima atenção para o verdadeiro reduto inimigo.

A doença nunca será curada nem erradicada pelos métodos materialistas dos tempos atuais, pelo simples fato de que, em suas origens, ela não é material. O que conhecemos como doença é o derradeiro efeito produzido no corpo, o produto final de forças profundas desde há muito em atividade e, mesmo quando o tratamento material sozinho parece bem-sucedido, ele não passa de um paliativo, a menos que a causa real tenha sido suprimida. A tendência atual da ciência médica, por interpretar erroneamente a verdadeira natureza da doença e por fixar toda a atenção, com sua visão materialista, no corpo físico, tem aumentado sobremodo o poder da doença; em primeiro lugar, por desviar a atenção das pessoas da verdadeira origem da enfermidade e, portanto, da estratégia eficaz para combatê-la; em segundo, por localizá-la no corpo, obscurecendo, assim, a verdadeira esperança de recuperação e criando um enorme complexo de doença e medo, complexo que nunca deveria ter existido.

Em essência, a doença é o resultado do conflito entre a Alma e a Mente, e ela jamais será erradicada exceto por meio de esforços mentais e espirituais. Tais esforços, se dirigidos com entendimento e propriedade, como veremos mais tarde, podem curar e prevenir a doença, removendo os fatores básicos que são suas causas primeiras. Nenhum esforço que se destine apenas ao corpo pode fazer mais do que reparar superficialmente um dano, e nisso não há nenhuma cura, visto que a causa ainda continua em atividade e pode, a qualquer momento, manifestar novamente sua presença, assumindo outro aspecto. De fato, em muitos casos a recuperação aparente acaba sendo prejudicial, já que oculta do paciente a verdadeira causa do seu problema, e, na satisfação que se experimenta com essa aparente recuperação da saúde, o fator real, continuando ignorado, pode fortalecer-se. Comparem-se esses casos ao do paciente que veio a saber por si mesmo, ou que foi alertado por um médico sensato, da natureza das forças mentais e espirituais adversas em atividade, cujo efeito precipita o que chamamos de doença no corpo físico. Se esse paciente se esforça continuamente para neutralizar essas forças, a saúde é recuperada tão logo ele obtenha êxito em sua tentativa e, quando o processo estiver concluído, a doença desaparecerá. Essa é a cura verdadeira, e ela se deve ao fato de se ter atacado a praça forte, o fundamento real do sofrimento.

Uma das exceções para os métodos materialistas na ciência moderna é a do grande Hahnemann, o fundador da homeopatia, que com sua compreensão do amor beneficente do Criador e da Divindade que mora dentro do homem, e por estudar a atitude mental de seus pacientes diante da vida, do meio ambiente e suas doenças, foi buscar nas ervas do campo e nos domínios da natureza o remédio que não apenas haveria de curar seus corpos mas, ao mesmo tempo, elevaria a sua perspectiva mental. Possa sua ciência se expandir e ser desenvolvida pelos médicos verdadeiros que trazem o amor pela humanidade dentro do coração.

Quinhentos anos antes de Cristo, alguns médicos da antiga Índia, trabalhando sob a influência do Senhor Buda, levaram a arte de curar a um estágio tão perfeito que conseguiram abolir a cirurgia, ainda que, na sua época, ela fosse tão eficiente, ou até mais, que a dos dias atuais. Homens como Hipócrates, com seus ideais grandiosos sobre a cura; Paracelso, com a convicção de uma divindade dentro do homem, e Hahnemann, que compreendeu que a doença tinha sua origem num plano acima do físico — todos eles sabiam muito sobre a verdadeira natureza do sofrimento e sobre o remédio para ele. Que desgraça incalculável teria sido evitada nos últimos vinte ou vinte e cinco séculos se as lições da arte desses mestres fossem seguidas! Porém, assim como em outros setores, o materialismo impressionou tão fortemente o mundo ocidental, e por tão longo tempo, que as vozes dos que se opõem radicalmente têm sobrepujado às daqueles que conheceram a verdade.

Diga-se brevemente que a doença, posto que pareça tão cruel, é benéfica e existe para nosso próprio bem; se interpretada de maneira correta, guiar-nos-á em direção aos nossos defeitos principais. Se tratada com propriedade, será a causa da supressão desses defeitos e fará de nós pessoas melhores e mais evoluídas do que éramos antes. O sofrimento é um corretivo para se salientar uma lição que de outro modo não haveríamos de aprender, e ele jamais poderá ser dispensado até que a lição seja totalmente assimilada. Seja também do conhecimento de todos que aqueles que compreenderam e estão aptos a perceber o significado de certos sintomas premonitórios podem evitar a doença antes que comece ou frustrá-la em seus primeiros estágios, se o corretivo adequado dos esforços mentais e espirituais for levado a cabo. Seja qual for o caso, e por mais grave que possa ser, não deve haver desespero, já que o indivíduo ainda desfruta da vida física que lhe foi doada, e isso indica que a Alma que o governa não está sem esperança.

CAPÍTULO II

Para se compreender a natureza da doença, certas verdades fundamentais têm de ser reconhecidas. A primeira delas é que o homem possui uma Alma que é o seu eu real; um Ser Divino, Poderoso, Filho do Criador de todas as coisas, do qual o corpo, ainda que seja o templo terreno dessa Alma, não passa de um mínimo reflexo; que nossa Alma, nossa Divindade que habita dentro e ao redor de nós, dirige para nós nossas vidas da maneira como Ela deseja que elas sejam governadas e, tanto quanto consentimos, sempre nos guia, nos protege e nos anima, vigilante e bondosa, para que possamos extrair o máximo proveito das coisas: que Ele, nosso Eu Superior, sendo uma centelha do Todo-Poderoso, é, desse modo, invencível e imortal.

A segunda é que nós, tanto quanto sabemos acerca de nós próprios neste mundo, somos personalidades vindas aqui com a missão de obter todo o conhecimento e toda a experiência que podem ser adquiridos ao longo da existência terrena; de desenvolver virtudes de que carecemos, de extinguir tudo o que é defeituoso dentro de nós e, dessa forma, avançar em direção à perfeição de nossas naturezas. A Alma sabe que ambiente e que circunstâncias nos ajudarão melhor a levar a cabo tal empresa e, por isso, nos reserva aqueles ramos da existência mais adequados para se atingir semelhante objetivo.

Em terceiro lugar, devemos compreender que a curta passagem por esta terra, que conhecemos como vida, não é mais que um breve instante no curso da nossa evolução, assim como um dia na escola está para uma vida e, embora possamos no momento ver e compreender somente esse único dia, nossa intuição nos diz que o nascimento esteve infinitamente longe do nosso começo e a morte infinitamente longe do nosso fim. Nossas Almas, que são realmente nós mesmos, são imortais, e os corpos dos quais temos consciência são transitórios, como simples cavalos em que montamos para fazer uma viagem, ou como instrumentos que utilizamos para criar uma obra de arte.

Segue-se, pois, um quarto grande postulado, que afirma que, contanto que nossas Almas e personalidades estejam em harmonia, tudo é paz e alegria, felicidade e saúde. Mas o conflito aparece quando nossas personalidades são atraídas para fora da senda traçada pela Alma, por obra dos nossos desejos terrenos, ou pela persuasão dos outros. Esse conflito é a causa principal da doença e da infelicidade. Não importa qual seja a nossa condição neste mundo – a de engraxate ou de rei, a de proprietário ou de camponês, a de rico ou de pobre –, contanto que possamos cumprir essa missão específica segundo os desígnios da Alma, tudo está bem; e, mais adiante, podemos descansar tranqüilos, sabendo que qualquer que seja o posto da vida em que sejamos colocados, seja ele superior ou inferior, contém as lições e as experiências necessárias para esse momento da nossa evolução, e proporciona as melhores vantagens para o nosso desenvolvimento.

O grande postulado que se segue é a compreensão da Unidade de todas as coisas; a compreensão de que o Criador de tudo o que existe é o Amor, e de que tudo aquilo de que temos consciência é, em seu infinito número de formas, manifestação desse Amor, seja ele um planeta ou um seixo, seja uma estrela ou uma gota de orvalho, um homem ou a forma mais elementar de vida. É possível ter um vislumbre dessa concepção se imaginarmos nosso Criador como um grande e brilhante sol de bondade e amor, de cujo centro um infinito número de raios se lança em todas as direções, e que nós e todas as coisas das quais temos consciência somos partículas ao fim desses raios, emitidas para que possam adquirir experiência e conhecimento, mas para, no final, retornar ao grande centro. E, posto que para nós cada raio possa parecer como algo separado e distinto dos outros, na realidade ele faz parte do grande Sol que existe no centro. A separação é impossível, pois tão logo um raio de luz seja destacado de sua fonte, ele deixa de existir. Dessa forma, temos uma pequena noção do que significa essa impossibilidade de separação e, ainda que cada raio possa ter a sua individualidade, ele, apesar disso, faz parte do grande centro gerador de forças. Assim, qualquer ação contra nós próprios ou contra uma outra pessoa afeta o conjunto porque, causando imperfeição numa parte, isso se reflete no todo, do qual toda partícula deve chegar finalmente à perfeição.

Assim, vemos que podem ocorrer dois erros básicos: a dissociação entre nossas Almas e nossas personalidades, e a crueldade ou a falta para com os outros, visto que são pecados que se cometem contra a Unidade. Qualquer dos dois gera conflito, que nos leva à doença. A percepção de onde estamos cometendo um erro (coisa que, freqüentemente, não fazemos), e um esforço sincero para corrigi-lo levar-nos-ão não apenas a uma vida de alegria e paz, mas também à saúde.

A doença é, em si mesma, benéfica, e tem por objetivo conduzir a personalidade de volta à Divina Vontade da Alma; dessa forma, podemos ver que ela é evitável e remediável, pois se pudéssemos perceber por nós mesmos os erros que estamos cometendo e corrigi-los através de recursos mentais e espirituais, não haveria necessidade de passar pelas severas lições do sofrimento. Cada oportunidade nos é proporcionada pelo Divino Poder para corrigir nossos caminhos antes que, como um último recurso, a dor e o sofrimento tenham de ser aplicados. Podem não ser os erros desta vida, deste dia na escola, que estamos combatendo; e embora, em nossa mente física não possamos estar cientes do motivo do nosso sofrimento, o qual pode nos parecer cruel e injustificado, nossas Almas (que são nós próprios) conhecem todo o propósito e estão nos guiando para que tiremos de tudo o máximo proveito. Não obstante, a compreensão e a correção de nossos erros reduzirão o alcance da doença e nos levarão de volta à saúde. O conhecimento do propósito da Alma e a aceitação desse conhecimento implica o alívio do sofrimento e da enfermidade terrenos, e nos deixa livres para que possamos seguir o curso da nossa evolução com alegria e felicidade.

Há dois grandes erros: o primeiro é fracassar em honrar e obedecer aos ditames de nossa Alma; o segundo é agir contra a Unidade. No que diz respeito ao primeiro, deve-se evitar julgar os outros, porque o que é certo para um não o é para o outro. O comerciante cuja tarefa é desenvolver o seu negócio, não apenas para seu proveito próprio mas também para o daqueles que trabalham para ele, adquirindo, assim, conhecimento de eficiência e controle, e desenvolvendo as respectivas virtudes, deve, necessariamente, aplicar virtudes e qualidades diferentes daquelas de uma enfermeira, que sacrifica a vida em favor dos doentes; no entanto, se ambos obedecerem aos desígnios de suas Almas, estarão desenvolvendo corretamente qualidades que são necessárias à sua evolução. Obedecer aos mandamentos da nossa Alma, do nosso Eu Superior, os quais aprendemos através da consciência, do instinto e da intuição, isso é o que verdadeiramente importa.

Assim, vemos que, por seus reais motivos e por sua verdadeira essência, a doença tanto é evitável como remediável, e é trabalho dos que praticam a cura espiritual e dos médicos fornecer aos que sofrem, em acréscimo aos remédios materiais, o conhecimento do sofrimento causado pelo erro de suas vidas, e da maneira pela qual esse erro pode ser erradicado, para que, assim, se possa restituir ao doente a saúde e a alegria.

CAPÍTULO III

O que conhecemos como doença é o estágio final de um distúrbio muito mais profundo; e, para assegurar um absoluto sucesso no tratamento, é óbvio que cuidar apenas do resultado final não será um procedimento de todo efetivo, a menos que a causa fundamental também seja suprimida. Há um erro básico que o homem pode cometer; é o de agir contra a Unidade; esse tipo de atitude se deve ao egoísmo. A partir disso, podemos também afirmar que há apenas um tormento básico — o mal-estar, a enfermidade. E, assim como uma ação contra a Unidade pode ser de vários tipos, da mesma forma a doença — uma conseqüência dessa ação — pode ser dividida em grupos principais que correspondem às suas causas específicas. A real natureza de uma enfermidade será um guia eficaz para que se identifique o tipo de ação que se está praticando contra a Divina Lei do Amor e da Unidade.

Se tivermos em nossa natureza amor suficiente por todas as coisas, não seremos causa de agravo a ninguém; pois esse amor sustará o gesto agressor, e impedirá nossa mente de se entregar a qualquer pensamento que possa magoar alguém. No entanto, ainda não chegamos a semelhante estágio de perfeição; se já o tivéssemos alcançado, não haveria razão nenhuma para nossa existência nesta terra. Mas todos nós estamos buscando e avançando rumo a esse estágio, e os que dentre nós padecem na mente ou no corpo estão sendo conduzidos por esse mesmo sofrimento em direção a essa condição ideal; se soubermos como interpretá-lo corretamente, não só poderemos acelerar nossos passos em direção à meta, como também nos guardaremos da doença e da angústia. Desde o momento em que a lição é aprendida e o erro reparado, não há necessidade do corretivo, pois não podemos nos esquecer que o sofrimento é, em si mesmo, benéfico, sobretudo por mostrar-nos o momento em que estamos seguindo por alguma via enganosa, e por acelerar a marcha de nossa evolução para uma gloriosa perfeição.

As doenças reais e básicas do homem são certos defeitos como o orgulho, a crueldade, o ódio, o egoísmo, a ignorância, a instabilidade e a ambição; e se cada um deles for considerado individualmente, notar-se-á que todos são contrários à Unidade. Tais defeitos é que constituem a verdadeira doença (usando, aqui, a palavra com sua conotação moderna), e a continuidade desses defeitos, persistirmos neles, depois de termos alcançado um estágio de desenvolvimento em que já os sabemos nocivos, é o que ocasiona no corpo os efeitos prejudiciais que conhecemos como enfermidades.

O orgulho se deve, em primeiro lugar, à incapacidade de se reconhecer a pequenez da personalidade humana e sua absoluta dependência da Alma, e de aceitar que todas as vitórias que se possam ter não se devem a essa personalidade, mas são bênçãos com que nos agraciou a Divindade interior; em segundo, deve-se à perda do senso de proporção, da noção de quanto se é insignificante diante do complexo arranjo da Criação. Como o orgulho se mostra invariavelmente relutante em se curvar com humildade e resignação à Vontade do Grande Criador, ele pratica ações contrárias a essa Vontade.

A crueldade é uma negação à Unidade de todas as coisas e uma incapacidade de se compreender que toda ação adversa para o outro está em oposição ao todo e é, portanto, uma ação contrária à Unidade. Nenhum homem levaria as conseqüências desastrosas da crueldade àqueles que estão mais próximos de si e que lhe são mais caros, e, segundo a lei da Unidade, temos de amadurecer até entendermos que cada um, como uma parte do todo, deve se tornar próximo de nós e querido por nós, e que até mesmo àqueles que nos molestam só lhes dediquemos amor e compreensão.

O ódio é o contrário do Amor, o reverso da Lei da Criação. Ele se opõe a toda a Obra Divina e é uma negação ao Criador; conduz apenas a pensamentos e a ações que são adversos à Unidade e contrários àqueles que seriam prescritos pelo Amor.

O egoísmo é, também, uma negação à Unidade e ao dever que temos para com nossos irmãos humanos, pois ele faz com que coloquemos nossos interesses pessoais antes do bem-estar da humanidade, do carinho e da proteção que deveríamos dedicar aos que estão mais perto de nós.

A ignorância é o fracasso em aprender, a recusa em ver a Verdade quando se tem a oportunidade para tanto, e conduz a muitos atos errôneos que só podem existir em meio à escuridão, pois não podem resistir quando está a rondar-nos a luz da Verdade e do Conhecimento.

A instabilidade, a indecisão e a falta de determinação ocorrem quando a personalidade se recusa a ser governada pelo Eu Superior, e nos levam a atraiçoar os outros devido à nossa fraqueza. Semelhante condição não seria possível se tivéssemos dentro de nós o conhecimento da Imbatível e Invencível Divindade, que é, na realidade, nós próprios.

A ambição conduz ao desejo de poder. É uma negação à liberdade e à individualidade de toda Alma. Em vez de reconhecer que cada um de nós está aqui para se desenvolver livremente segundo as próprias diretrizes e em conformidade com os ditames da própria Alma, para aumentar cada vez mais sua individualidade e trabalhar com liberdade e desenvoltura, a personalidade ambiciosa compraz-se em ditar ordens, conformar tudo à sua vontade e comandar, usurpando o poder do Criador.

São esses os exemplos da real doença, a origem e a base de todos os nossos sofrimentos e aflições. Cada uma dessas imperfeições, se se mantiverem contrárias à voz do Eu Superior, provocarão um conflito que deve, por força da necessidade, refletir-se no corpo físico, produzindo um tipo específico de enfermidade.

Agora veremos como qualquer tipo de doença que podemos vir a sofrer nos conduz à descoberta da falta que está por trás de tudo quanto nos aflige. Por exemplo, o orgulho, que é arrogância e rigidez mental, despertará doenças que ocasionarão a rigidez e a ancilose do corpo. A dor é o resultado da crueldade, e, por meio dela o paciente aprende, através do próprio sofrimento, a não infligi-lo aos outros, do ponto de vista físico ou mental. As penalidades resultantes do ódio são o isolamento, o temperamento violento e incontrolável, as perturbações mentais e os estados de histeria. As doenças decorrentes da introspecção – a neurose, a neurastenia e os estados semelhantes – que acabam tirando da vida tantas alegrias, são causadas pelo egoísmo em excesso. A ignorância e a falta de sabedoria criam suas próprias dificuldades na vida cotidiana e se, além disso, houver persistência na recusa em ver a Verdade quando a oportunidade é dada, a miopia e outras deficiências visuais e auditivas serão as conseqüências naturais. A instabilidade da mente pode acarretar no corpo a mesma característica, com aquelas várias disfunções que afetam os movimentos e a coordenação motora. As conseqüências da ambição e da vontade de dominar os outros são aquelas doenças que levam a quem delas sofre a ser escravo do próprio corpo, com os desejos e ambições refreados pela enfermidade.

Ademais, a parte afetada do corpo não é obra do acaso, mas obedece à lei de causa e efeito e, uma vez mais, pode servir de guia para nos ajudar. Por exemplo, o coração, a fonte da vida e, portanto, do amor, é atacado especialmente quando o lado amoroso da natureza do indivíduo para com a humanidade não é desenvolvido ou é utilizado de modo errado; a mão lesada denota falha ou erro na ação; o cérebro sendo o centro de controle do corpo, se afetado, indiça uma falta de controle na personalidade. Tudo isso deve seguir o que a lei estabelece. Estamos todos prontos a admitir as diversas conseqüências que se seguem a uma crise nervosa, a um choque emocional de más notícias que chegam de repente; se as atividades corriqueiras podem assim afetar o corpo, quão mais grave e profundamente enraizado deve ser um conflito que existe desde há muito entre a alma e o corpo! Como podemos nos espantar com o fato de as conseqüências provocarem doenças tão graves como as que existem entre nós atualmente?

Contudo, não há motivo para depressão. A prevenção e a cura acontecem quando localizamos o erro dentro de nós mesmos, e suprimimos esse defeito por meio do cuidadoso aprimoramento da virtude que o destruirá; não combatendo diretamente o erro, mas desenvolvendo tanto essas virtudes opostas que ele chegue a ser varrido de nossas naturezas.

CAPÍTULO IV

Assim, vemos que não há nada de acidental no que diz respeito à doença, nem quanto ao seu tipo nem quanto à parte do corpo que foi afetada; como todos os outros resultados da energia, ela obedece à lei de causa e efeito. Certos males podem ser causados por meios físicos diretos, tais como os associados à ingestão de substâncias tóxicas, acidentes, ferimentos e excessos cometidos; mas, em geral, a doença se deve a algum erro básico em nosso temperamento, como nos exemplos já mencionados.

Dessa forma, para se alcançar uma cura completa, não somente devem ser empregados recursos físicos, escolhendo sempre os métodos melhores e mais familiares à arte da cura, mas também devemos lançar mão de toda a nossa habilidade para eliminar qualquer falha em nossa natureza; porque a cura total vem essencialmente de dentro de nós, da própria Alma que, por meio da bondade do Criador, irradia harmonia do começo ao fim da personalidade, quando se permite que assim seja.

Assim como há uma causa fundamental para cada doença, que é o egoísmo, há também um método muito seguro para se poder minorar todo o sofrimento, qual seja o da conversão do egoísmo em devoção para com os outros. Se desenvolvermos o bastante nossa capacidade de esquecermos a nós próprios no amor e no carinho para com todos os que estão à nossa volta, desfrutando, assim, do acontecimento glorioso que é adquirir conhecimento e ajudar os outros, nossos sofrimentos e tristezas rapidamente terão seu termo. Nosso máximo objetivo: abandonar os próprios interesses ao servirmos a humanidade. Não importa em que posto desta vida nossa Divindade nos colocou. Estejamos dedicados aos negócios ou à profissão, sejamos ricos ou pobres, reis ou mendigos, para nós, bem como para todos, é possível dar continuidade ao trabalho realizado a partir de nossa vocação e, ainda assim, ser uma verdadeira bênção aos que estão próximos, transmitindo-lhes o Divino Amor da Fraternidade.

Porém, a grande maioria de nós tem algum caminho a seguir antes que possa alcançar esse estágio de perfeição, ainda que seja notável quão depressa um indivíduo pode avançar nesse sentido quando o esforço é empreendido com seriedade e quando não se confia somente na frágil personalidade, mas se tem dentro de si a fé. Pois é pelo exemplo e pelos ensinamentos dos grandes mestres do mundo que alguém pode se tornar capacitado a se unir à própria Alma, à Divindade interior, e todas as coisas se tornam possíveis. Na maioria de nós existe um ou vários defeitos adversos que estão particularmente impedindo nosso progresso, e é esse defeito, ou defeitos, que devemos procurar dentro de nós próprios. E, enquanto estamos lutando para desenvolver e expandir o lado amoroso de nossa natureza para com o mundo, devemos também, ao mesmo tempo, buscar a purificação desses defeitos, inundando a nossa natureza com as virtudes opostas. No começo, pode ser um pouco difícil, mas só o será no começo, pois é notável quão rapidamente as virtudes podem se desenvolver quando são verdadeiramente incentivadas, e quando estão aliadas ao conhecimento de que, com o auxílio da Divindade interior e com nossa perseverança, o fracasso é impossível.

Para desenvolvermos o Amor Universal dentro de nós mesmos precisamos aprender cada vez mais que todo ser humano, por mais inferior, é um filho do Criador, e que um dia, no devido momento, ele avançará à perfeição exatamente como todos nós esperamos fazê-lo. Por mais desprezível que uma criatura ou um homem nos possa parecer, precisamos nos lembrar que há uma Centelha Divina dentro de cada um e que, com certeza, essa Centelha crescerá lenta mas seguramente até que a glória do Criador se irradie daquele ser.

Além do mais, a questão sobre o certo e errado, sobre o bem e o mal, é puramente relativa. O que é certo na evolução natural do aborígine não o é para uma pessoa mais culta de nossa civilização e, de modo semelhante, o que podia muito bem ser uma virtude para nós pode ser inadequado e, portanto, errado para alguém que atingiu o estágio do discipulado. O que chamamos de errado e mau é, na realidade, o bem fora do seu lugar e, portanto, é uma questão totalmente relativa. Também o é o protótipo de nossas concepções idealistas; devemos parecer verdadeiros deuses aos animais, ao passo que nós, em nossa real condição, estamos muito abaixo do modelo da grande Fraternidade Branca de Santos e Mártires que têm dado tudo de si para servir de exemplos a nós. Portanto, é preciso ter compaixão e simpatia para com os inferiores, pois, embora possamos nos considerar muito acima do nível deles, somos, na verdade, insignificantes, e temos ainda uma longa jornada pela frente até alcançarmos o modelo de nossos irmãos mais velhos, cuja luz brilha no mundo inteiro, em todas as épocas.

Se o orgulho nos assaltar, tentemos compreender que nossas personalidades não significam coisa alguma em si mesmas, incapazes que são de conduzir qualquer trabalho bom ou qualquer serviço aceitável, ou de resistir aos poderes da escuridão, a menos que sejam ajudadas pela Luz que vem do alto, a Luz de nossa Alma; procuremos compreender ao menos um vislumbre da onipotência insondável do nosso Criador, que faz com toda a perfeição um mundo numa gota d'água e sistemas e mais sistemas de universos, e tentemos compreender a humildade que devemos ter e a nossa total dependência em relação a Ele. Aprendemos a render homenagem aos seres humanos que são nossos superiores e a respeitá-los; quão infinitamente mais deveríamos reconhecer nossa fragilidade, com a máxima humildade diante do Grande Arquiteto do Universo!

Se a crueldade ou o ódio impede-nos de avançar em nosso caminho, lembremos que o Amor é a base da Criação, que em cada alma viva há algum bem, e que no melhor de nós existe algum mal. Buscando o bem nas outras pessoas, mesmo naquelas que a princípio nos ofendem, aprenderemos a desenvolver, se nada mais, alguma compaixão para com elas e a esperar que encontrem caminhos melhores; então, segue-se que a vontade de ajudá-los a se reerguerem despertará. A maior conquista de todos será sempre através do amor e da bondade, e quando tivermos desenvolvido suficientemente essas duas qualidades, nada será capaz de nos atacar, já que teremos sempre compaixão e não ofereceremos resistência; pois, repetindo, segundo a lei de causa e efeito, é a resistência que causa o dano. Nosso objetivo nesta vida é obedecer aos desígnios de nosso Eu Superior, sem nos deixarmos deter pelas influências dos outros, e isso só pode ser conseguido se seguimos calmamente nosso caminho e, ao mesmo tempo, se nunca interferimos na personalidade dos outros, nem lhes causamos o menor dano por nenhuma forma de crueldade ou ódio. Devemos nos esforçar para aprender a amar os outros, começando talvez por um indivíduo ou até mesmo por um animal, e deixar que esse amor se desenvolva e se estenda numa esfera cada vez maior, até que os defeitos contrários a ele automaticamente desapareçam. Amor gera amor, assim como ódio gera ódio.

A cura do egoísmo dá-se quando dirigimos para fora, para os outros, o carinho e a atenção que devotamos a nós próprios, tornando-nos tão absorvidos em proporcionar-lhes bem-estar que esquecemos de nós mesmos nesse empenho. Como diz uma grande regra da Fraternidade, "é preciso buscar o conforto para os nossos tormentos levando consolo e alívio aos nossos semelhantes na hora da sua aflição", e não há caminho mais seguro para curar o egoísmo e os transtornos que o acompanham do que fazer uso desse método.

Podemos erradicar a instabilidade por meio do desenvolvimento da autodeterminação, fortalecendo a mente e agindo com firmeza, em vez de ficarmos detidos na hesitação e na dúvida. Mesmo que possamos cometer erros no começo, sempre é melhor agir do que perder uma oportunidade devido à indecisão. A determinação em breve crescerá; o medo de se lançar na vida desaparecerá; e as experiências adquiridas conduzirão nossa mente a um maior discernimento.

Para se acabar com a ignorância, é preciso que não tenhamos medo da experiência, mas, com a mente alerta, os olhos bem abertos e os ouvidos atentos, aproveitemos todo o conhecimento que possa ser adquirido. Ao mesmo tempo, precisamos nos manter flexíveis no pensamento, para que idéias preconcebidas e convicções anteriores não nos privem da oportunidade de adquirir novos e mais amplos conhecimentos. Devemos estar sempre prontos a expandir a mente e a abandonar qualquer idéia, por mais arraigada que ela esteja, se, encontrando-nos numa experiência mais ampla, uma verdade maior se revelar.

Como o orgulho, a ambição é um grande obstáculo para o progresso, e ambos devem ser implacavelmente eliminados. As conseqüências da ambição são realmente graves, pois ela nos leva a interferir no desenvolvimento da Alma de nossos semelhantes. Devemos compreender que todo ser está aqui para evoluir segundo os desígnios da própria Alma, e exclusivamente dela, e que cada um de nós nada mais deve fazer que encorajar o irmão a prosperar. Devemos ajudá-lo a ter esperança e, se estiver em nosso alcance, a ampliar seu conhecimento e suas experiências terrenas para que possa progredir. Assim como gostaríamos que os outros nos ajudassem na subida íngreme e difícil da vida, estejamos também sempre prontos a estender uma mão amiga e a repartir a nossa experiência, produto de um aprendizado mais amplo, com um irmão mais jovem ou mais fraco. Tal deveria ser a atitude do pai para com o filho, do mestre para com o aluno ou do amigo para com o outro amigo, dedicando tanto carinho, amor e proteção quanto eles necessitem, sem que, nem por um momento, se interfira na evolução natural da personalidade alheia, já que esse aperfeiçoamento deve ser ditado pela Alma.

Muitos de nós estão mais próximos da própria Alma na infância e na adolescência do que anos mais tarde, e têm idéias mais claras quanto à sua missão nesta vida, quanto às tarefas que esperam realizar e quanto ao caráter que precisam desenvolver. A razão para isso é que o materialismo, as circunstâncias que envolvem esta época e as personalidades às quais nos associamos, nos afastam da voz de nosso Eu Superior e não nos deixam escapar ao lugar-comum com sua falta de ideais, muito evidente nesta civilização. Oxalá o pai, o mestre e o amigo se esforcem para estimular o crescimento do Eu Superior naqueles sobre os quais têm o maravilhoso privilégio e oportunidade de exercer sua influência, mas esperemos que permitam sempre aos outros a liberdade, da mesma forma que esperam que ela lhes seja dada.

De modo semelhante, podemos procurar outras faltas no nosso temperamento e eliminá-las por meio do aperfeiçoamento da virtude oposta, removendo, assim, de nossa natureza, a causa do conflito entre a Alma e a personalidade, que é a causa fundamental da doença. Quando o paciente tem fé e otimismo, essa ação, sozinha, trará alívio, saúde e alegria e, naqueles menos fortes, ajudará materialmente o trabalho do médico terreno para que alcance o mesmo resultado. Temos de aprender seriamente a aperfeiçoar a individualidade conforme os desígnios da nossa Alma, não temer nenhum ser humano e compreender que ninguém pode interferir no desenvolvimento de nossa evolução, no cumprimento do nosso dever e na nossa ajuda aos semelhantes, lembrando que, quanto mais avançarmos, maior será a bênção em que nos tornaremos àqueles à nossa volta. Precisamos estar atentos principalmente ao darmos assistência aos outros, não importa quem eles sejam, para que estejamos seguros de que a vontade de ajudar advém dos desígnios do Eu Interior, e não de um falso sentido de dever a partir da sugestão ou da persuasão de uma outra personalidade dominadora. É essa a tragédia que resulta das convenções dos tempos modernos, e é impossível calcular as milhares de vidas bloqueadas em seu caminho, as miríades de oportunidades desperdiçadas, a tristeza e o sofrimento causados por isso, o incontável número de filhos que por um senso de dever cuidam de um inválido, quando a única doença de seu pai ou de sua mãe é a avidez por atenção. Que se reflita sobre quantos homens e mulheres foram impedidos de realizar alguma grande obra para a humanidade devido ao fato de suas personalidades terem sido dominadas por algum indivíduo de quem eles próprios não tiveram coragem de se libertar; sobre as crianças que precocemente descobrem e desejam seguir sua vocação e, por problemas circunstanciais, pela persuasão alheia e pela falta de determinação, vão parar em algum outro ramo da vida, onde não são nem felizes nem capazes de desenvolver sua evolução como caso contrário poderiam estar fazendo. São só os desígnios de nossa consciência que devem dizer-nos se o nosso dever é para com uma ou mais pessoas, como e a quem devemos servir; mas, qualquer que seja esse dever, precisamos obedecer esta ordem com o máximo de nossa habilidade.

Por fim, não tenhamos medo de nos lançar na vida; estamos aqui para adquirir experiência e conhecimento, e aprenderemos pouco, a menos que encaremos a realidade e busquemos o melhor de nós próprios. Tal experiência pode ser adquirida em cada esquina, e as verdades da natureza e da humanidade podem ser conquistadas tão efetivamente, ou até mesmo mais, numa casinha de campo tanto quanto em meio ao tumulto da cidade grande.

CAPÍTULO V

Visto que a falta de individualidade (isto é, permitir que a personalidade sofra interferências que a impeçam de cumprir os mandamentos do Eu Superior) é tão importante na produção da doença, e que costuma iniciar-se muito cedo na vida, consideremos agora a autêntica relação entre pai e filho, mestre e aluno.

Fundamentalmente, o ofício da paternidade consiste em ser o instrumento privilegiado (e, na verdade, esse privilégio deveria ser considerado divino) para capacitar uma Alma a entrar em contato com o mundo para o bem da evolução. Se entendido com propriedade, é provável que não se ofereça à humanidade nenhuma oportunidade maior do que essa, a de ser o agente do nascimento físico de uma Alma e de ter a guarda de uma jovem personalidade durante os primeiros anos de sua existência na terra. A atitude dos pais deveria se resumir em dar ao pequenino recém-chegado toda a orientação espiritual, mental e física com o máximo de sua habilidade, sempre lembrando que o pequenino é uma Alma individual que veio ao mundo para adquirir a própria experiência e conhecimento em seu próprio caminho, segundo os desígnios de seu Eu Superior, e dar-lhe toda liberdade possível para que se desenvolva sem dificuldades.

O ofício da paternidade é um serviço divino, e deveria ser respeitado tanto, se não mais, que qualquer outro dever a que sejamos intimados a cumprir. Por ser um trabalho de sacrifício, há que ter sempre em mente que não se deve pedir nada em troca à criança, e que o objetivo máximo é dar, e tão-somente dar, carinho, proteção e orientação até que a Alma se encarregue da jovem personalidade. A independência, a individualidade e a liberdade devem ser ensinadas desde o começo, e a criança deve ser estimulada o mais cedo possível na vida a pensar e a agir por si mesma. Todo o controle paterno deveria ser reduzido pouco a pouco conforme a capacidade de cuidar de si próprio se vai desenvolvendo e, mais adiante, nenhuma imposição ou falsa idéia de dever para com os pais deve obstruir os desígnios da Alma da criança.

A paternidade é um ofício na vida que passa de um para outro, e é em essência prover orientação e proteção por um breve período, após o qual se deve deixar o objeto de atenção livre para progredir sozinho. Tenha-se presente que a criança da qual nos tornamos guardiões temporários pode ser uma Alma muito mais velha e maior do que nós, pode ser espiritualmente superior a nós; assim, esse controle e proteção deve limitar-se às necessidades da jovem personalidade.

A paternidade é um dever sagrado de caráter temporário, e passa de geração a geração. Implica tão-somente um serviço e não pede aos jovens nada em troca, já que eles devem ser deixados livres para seguir segundo o seu próprio modo de ser, para que, tanto quanto possível, se tornem aptos a cumprir a mesma tarefa poucos anos depois. Assim, a criança não deveria sofrer restrições, nem ter obrigações ou entraves por parte dos pais, sabendo que a paternidade foi previamente concedida a seu pai e sua mãe, e que poderá ser também seu dever exercer essa mesma função para com outra pessoa.

Os pais deveriam estar particularmente precavidos contra qualquer desejo de conformar a jovem personalidade às suas próprias vontades e idéias, e deveriam refrear qualquer dominação indevida ou qualquer pedido de favores em troca do seu dever natural e privilégio divino de ser o meio de auxiliar uma Alma a entrar em contato com o mundo. Qualquer desejo de controle, ou desejo de dirigir a jovem existência por motivos pessoais, é uma forma terrível de ambição, e nunca deveria ser consentida, pois se se arraigar no jovem pai ou mãe, ambos se converterão, com os anos, em verdadeiros vampiros. Se houver o menor desejo de domínio, ele deverá ser detido desde o início. Devemos recusar estar sob o jugo da ambição que nos compele a desejar possuir os demais. Devemos encorajar a nós mesmos na arte de doar e desenvolver isso até que ela lave com o seu sacrifício todo traço de ação adversa.

O mestre deverá sempre ter em mente que o seu ofício é ser apenas um agente que dê ao jovem orientação e oportunidades de aprender as coisas do mundo e da vida, de modo que cada criança possa absorver o conhecimento à sua maneira e, se a liberdade lhe for concedida, escolher instintivamente o que seja necessário para o êxito de sua vida. Portanto, repetindo, nada além do mais carinhoso cuidado e orientação deveria ser dado, para que se permita ao estudante adquirir o conhecimento necessário.

Os filhos deveriam lembrar que o ofício da paternidade, como símbolo do poder criativo, é divino em sua missão, mas que não implica nenhuma restrição no desenvolvimento deles nem qualquer obrigação que possa obstruir a vida e o trabalho que lhes forem ditados pela sua própria Alma. É impossível calcular, na civilização atual, o sofrimento não expressado, a restrição da natureza das pessoas e o desenvolvimento do caráter dominador que a falta de percepção desse fato acarreta. Em quase todos os lares, pais e filhos constroem ao redor de si mesmos cárceres por motivos inteiramente falsos e por uma concepção equivocada do que deve ser o relacionamento entre eles. Esses cárceres põem a ferros a liberdade, obstruem a vida, impedem o desenvolvimento natural, trazem infelicidade a todos os envolvidos; as perturbações mentais, nervosas e até físicas que afligem essas pessoas constituem, na verdade, a grande maioria das enfermidades dos nossos dias.

Nunca será demasiado insistir no fato de que cada Alma encarnada neste mundo está aqui com o propósito específico de adquirir experiência e compreensão e de aperfeiçoar sua personalidade com vistas aos ideais da Alma. Não importa qual seja nossa relação com os demais, seja a do marido para com a mulher, a do pai para com o filho, a do irmão para com a irmã, a do mestre para com o aluno, pecamos contra nosso Criador e contra nossos semelhantes se impedirmos, por motivos de desejos pessoais, a evolução de outra Alma. Nosso único dever é obedecer aos desígnios de nossa própria consciência, e essa, nem por um momento, deve tolerar o domínio de outra personalidade. Que cada um se lembre de que a própria Alma reservou para si um trabalho particular, e que a menos que se cumpra essa tarefa, ainda que não seja de maneira consciente, inevitavelmente terá lugar um conflito entre a Alma e a personalidade, conflito que necessariamente terá efeito na forma de distúrbios físicos.

Na verdade, é possível que a vocação de alguém seja devotar sua vida a outra pessoa, mas, antes que faça isso, que esteja absolutamente seguro de que isso é o que determina sua Alma, e de que não se trata da sugestão de alguma outra personalidade dominadora a persuadi-lo, ou de falsas idéias de dever a desviá-lo. Que se lembre também que viemos a este mundo para vencermos batalhas, para adquirirmos forças contra quem nos quer controlar, e para avançar àquele estágio em que passamos pela vida cumprindo nosso dever sossegada e serenamente, sem nos amedrontarmos e sem nos deixarmos influenciar por qualquer criatura, guiados sempre pela voz de nosso Eu Superior. Para muitos, a maior batalha travar-se-á no seu próprio lar, onde, antes de obter a liberdade para conquistar vitórias pelo mundo, terão de libertar-se do jugo e do controle adversos exercidos por algum parente muito próximo.

Qualquer indivíduo, adulto ou criança, que tenha como parte de sua missão nesta vida libertar-se do controle dominante de outro, deve lembrar o seguinte: que, em primeiro lugar, seu suposto opressor deve ser considerado da mesma maneira com que consideramos um oponente num esporte, como uma personalidade com a qual participamos no jogo da Vida, sem o menor traço de amargura, e que, não fossem esses oponentes, desperdiçaríamos a oportunidade de desenvolver nossa coragem e individualidade; em segundo, que as autênticas vitórias da vida vêm do amor e do carinho, e que, em contexto semelhante, nenhuma forma de pressão deve ser utilizada, qualquer que seja ela; que se desenvolvendo de maneira segura nossa natureza, sentindo compaixão, carinho e, se possível, afeição — ou ainda melhor, amor — para com o oponente, ele poderá, assim, desenvolver-se e, com o tempo, seguir calma e tranqüilamente o chamado da consciência sem permitir o mínimo de interferência.

Os que são dominadores precisam de muita ajuda e orientação para que se tornem capazes de transformar em realidade a grande verdade universal da Unidade, e para que entendam a alegria da Fraternidade. Deixar escaparem tais coisas é deixar escapar a autêntica felicidade da Vida, e temos de ajudar essas pessoas na medida de nossas forças. A fraqueza de nossa parte, que lhes permite ampliar sua influência, de forma alguma os ajudará; recusarmo-nos delicadamente a estar sob o seu controle e esforçarmo-nos para fazê-los compreender a alegria de doar, os auxiliará ao longo da escalada.

A conquista de nossa liberdade, a vitória de nossa individualidade e independência exigirão, na maioria dos casos, muita coragem e fé. Porém, nas horas mais negras, quando o êxito parecer quase impossível, recordemos sempre que os filhos de Deus nunca devem sentir medo, que nossas Almas só nos dão tarefas que somos capazes de levar a cabo, e que com nossa coragem e com nossa fé na Divindade dentro de nós a vitória chegará para todos os que perseveraram em sua luta.

CAPÍTULO VI

E agora, queridos irmãos e irmãs, quando compreendemos que o Amor e a Unidade são as grandes bases de nossa Criação, que somos filhos do Amor Divino, e que a eterna vitória sobre todos os erros e sofrimentos dar-se-á mediante o carinho e o amor; quando nos damos conta de tudo isso, como pode haver lugar, nesse quadro tão formoso, para a prática da vivissecção e do transplante de glândulas animais? Somos ainda tão primitivos, tão pagãos, a ponto de acreditarmos que, com o sacrifício de animais, escaparemos às conseqüências de nossos erros e fraquezas? Há cerca de 2.500 anos, o Senhor Buda revelou ao mundo a iniqüidade que é o sacrifício de criaturas inferiores. A humanidade já contraiu uma dívida muito grande para com os animais que torturou e exterminou e, longe de obter benefícios com essas práticas desumanas, trouxe apenas danos e prejuízos para ambos os reinos, humano e animal. Quão longe estamos, nós, os ocidentais, dos nobres ideais da Mãe Índia dos velhos tempos, quando o amor pelas criaturas da terra era tão grande que os homens eram ensinados e treinados para curar as enfermidades e feridas não somente dos animais, mas também das aves. Ademais, havia grandes santuários para todos os tipos de vida e, tão avessas eram as pessoas a ferir uma criatura inferior que se negavam a dar assistência médica a um caçador enfermo se ele não jurasse abandonar a prática da caça.

Não reprovemos os homens que praticam a vivissecção, pois muitos deles estão trabalhando animados por princípios verdadeiramente humanitários, esperando e se esforçando para encontrar alívio para o sofrimento humano; suas intenções são bastante boas, mas sua sabedoria é pobre e pouco compreendem do sentido da vida. Só o motivo, por melhor que seja, não basta; deve vir acompanhado de sabedoria e conhecimento.

Do horror da magia negra, associada com o transplante de glândulas, nem mesmo falaremos; só imploramos a todo ser humano que os evite como algo dez mil vezes pior que uma praga, pois é um pecado contra Deus, contra os homens e contra os animais.

Exceto por uma ou duas coisas, não há objetivo em nos ocuparmos dos fracassos da medicina moderna; demolir é inútil quando não se reconstrói um edifício melhor e, como na medicina já se estabeleceram as bases de uma edificação mais nova, empenhemo-nos em acrescentar um ou dois tijolos a esse templo. Tampouco pode ser de valor uma crítica negativa da profissão; é o sistema que está fundamentalmente equivocado, não os homens; pois é um sistema pelo qual o médico, por razões unicamente econômicas, não tem tempo para ministrar um tratamento tranqüilo e sossegado nem oportunidade para pensar e meditar adequadamente, o que deveria ser a herança dos que devotam sua vida a assistir doentes. Como disse Paracelso, o médico sábio atende a cinco, e não a quinze pacientes num dia. — ideal impraticável em nossa época para um médico comum.

A aurora de uma arte de curar mais nova e melhor paira sobre nós. Há cem anos, a homeopatia de Hahnemann foi o primeiro raio da luz matinal, depois de um longo período de trevas, e pode desempenhar um grande papel na medicina do futuro. Ademais, a atenção que se está dispensando no presente momento à melhoria da qualidade de vida e ao estabelecimento de uma dieta mais pura é um progresso rumo à prevenção da doença; a esses movimentos que pretendem levar ao conhecimento das pessoas tanto a relação que existe entre os fracassos espirituais e a enfermidade, bem como a cura que se pode obter através do aprimoramento da mente, estão apontando o caminho por onde devemos seguir rumo à luz de um novo dia, em cujo brilho a escuridão da enfermidade desaparecerá.

Lembremos que a enfermidade é um inimigo comum, e que cada um de nós que domine um fragmento dela está, por isso mesmo, ajudando não só a si próprio, mas a toda a humanidade. Há que se despender alguma quantidade de energia, bem definida, antes que a vitória se complete; todos juntos e cada um de nós devemos lutar para alcançar esse resultado, e os que são maiores e mais fortes não só terão de cumprir sua parte na empresa, como também ajudar materialmente seus irmãos mais fracos.

Obviamente, o primeiro meio de se evitar a propagação e o aumento da doença é deixarmos de cometer ações que ampliem o seu poder; o segundo, suprimir de nossa natureza os próprios defeitos, que consentiriam invasões subseqüentes. Conseguir isso significaria, na verdade, a vitória; então, tendo alcançado a liberdade, podemos ajudar os outros. E isso não é tão difícil como pode parecer à primeira vista; estamos apenas destinados a dar o melhor de nós, e sabemos que todos nós podemos fazê-lo sempre que dermos ouvidos aos desígnios da nossa Alma. A vida não nos exige sacrifícios inimagináveis; pede-nos para que façamos a jornada com alegria no coração e que sejamos uma bênção a quantos nos rodeiam, de forma que se deixarmos o mundo um pouquinho melhor do que era antes de nossa visita, teremos feito o nosso trabalho.

Os ensinamentos das religiões, se interpretados devidamente, pedem a todos nós para "abandonar tudo e Seguir-Me", e isso significa que nos entreguemos inteiramente às exigências de nosso Eu Superior, mas não, como alguns imaginam, que abandonemos o lar e o conforto, o amor e o luxo; a verdade está muito distante disso. O príncipe de um reino, com todas as glórias do palácio, pode ser um Enviado de Deus e uma autêntica bênção para o seu povo e para o seu país — e até mesmo para o mundo; quanto se haveria de perder se esse príncipe imaginasse que seu dever era o de enclausurar-se num monastério! As obrigações da vida, em todos os seus ramos, desde o mais baixo ao mais alto, têm de ser cumpridas, e o Divino Guia de nossos destinos sabe em que posto colocar-nos para o nosso bem; tudo o que se espera que façamos é cumprir esse dever com esmero e com alegria. Há tantos santos nos bancos de uma fábrica e nas salas das fornalhas de um navio quanto em meio aos dignatários das comunidades religiosas. A nenhum de nós nesta terra se pede que faça mais do que está em seu alcance fazer, e se nos esforçarmos para obter o melhor de nós próprios, guiados sempre por nosso Eu Superior, a saúde e a felicidade nos serão possíveis.

Durante a maior parte dos dois últimos milênios, a civilização ocidental tem atravessado uma era de intenso materialismo, e muito se perdeu da consciência do lado espiritual da nossa natureza e da nossa existência na atitude mental de colocar acima das verdadeiras coisas da vida as posses materiais, as ambições, os desejos e os prazeres mundanos. O real motivo da existência do homem na terra tem sido obliterado por sua ansiedade em obter de sua encarnação apenas bens terrenos. É uma época em que a vida tem sido muito difícil devido à falta de verdadeiro consolo, incentivo e estímulo, os quais supõem uma consciência de coisas mais importantes que as deste mundo. Durante os últimos séculos, as religiões têm-se revelado a muitas pessoas antes como lendas que nada têm que ver com suas vidas, do que como a essência de sua existência. A verdadeira natureza de nosso Eu Superior, o conhecimento de uma vida anterior e de outra posterior à parte da atual, têm significado muito pouco para nós, em vez de se constituírem nos guias e motivos de todas as nossas ações. Temos posto de lado as grandes coisas e tentado fazer a vida o mais confortável possível, retirando de nossas mentes o suprafísico, e nos subordinando aos prazeres terrenos para compensar nossas provações. Assim, a posição social, a classe, a riqueza e as posses materiais tornaram-se a meta deste século; e como tudo isso é passageiro e só pode ser obtido e conservado à base de muita ansiedade e concentração em coisas materiais, assim também a paz interior e a felicidade das gerações passadas têm permanecido infinitamente abaixo do que se espera para a humanidade.

A verdadeira paz da Alma e da mente está conosco quando progredimos espiritualmente, e isso não pode ser obtido somente com o acúmulo de riquezas, por maiores que elas sejam. Mas os tempos estão mudando, e há muitos indícios de que essa civilização tem começado a passar da idade do puro materialismo à da vontade de se alcançar as realidades e verdades do universo. O interesse geral e rapidamente crescente pelo conhecimento das verdades suprafísicas que hoje se verifica, o número cada vez maior dos que desejam informações sobre a existência antes e depois desta vida, a descoberta de métodos para se superar a doença por meios espirituais e pela fé, a busca de antigos ensinamentos e da sabedoria oriental — tudo isso é sinal de que nossos contemporâneos começaram a vislumbrar a realidade das coisas. Assim, quando chegamos ao problema da cura, compreendemos também que este deve pôr-se à altura dos tempos e substituir seus métodos baseados num materialismo grosseiro por recursos de uma ciência fundamentada nas realidades da Verdade e regida pelas mesmas leis Divinas que governam nossas naturezas. A cura passará do âmbito dos métodos físicos de tratamento do corpo físico para a cura mental e espiritual que, restabelecendo a harmonia entre a mente e a Alma, é capaz de erradicar a causa principal da doença, e, a partir disso, permitir a utilização dos meios físicos como possam ser necessários para completar a cura do corpo.

Contanto que a profissão médica compreenda esses fatos e avance com o crescimento espiritual das pessoas, é bem possível que a arte da cura possa passar das mãos das comunidades religiosas às dos curadores natos que existem em toda geração, mas que ainda têm vivido mais ou menos ignorados, impedidos pelos ortodoxos de seguir sua vocação natural. Assim, o médico do futuro terá dois objetivos principais; o primeiro será o de ajudar o paciente a alcançar um conhecimento de si mesmo e apontar-lhe os erros fundamentais que ele possa estar cometendo, as deficiências de seu caráter que ele teria de corrigir e os defeitos em sua natureza que têm de ser erradicados e substituídos por virtudes correspondentes. Esse médico terá de ser um grande estudioso das leis que governam a humanidade e a própria natureza humana, de modo que possa reconhecer em todos os que a ele acorrem os elementos que estão causando conflito entre a Alma e a personalidade. Tem de ser capaz de aconselhar o paciente de como restabelecer melhor a harmonia requerida, que ações contra a Unidade deve deixar de praticar e que virtudes necessárias deve desenvolver para eliminar seus defeitos. Cada caso necessitará de um minucioso estudo, e só os que dedicaram grande parte de sua vida ao conhecimento da humanidade e em cujos corações arde a vontade de ajudar, serão capazes de empreender com sucesso essa gloriosa e divina obra em favor da humanidade, abrir os olhos daquele que sofre, iluminá-lo quanto à razão de sua existência, e inspirar-lhe esperança, consolo e fé que lhe capacitem dominar sua enfermidade.

O segundo dever do médico será ministrar os remédios que ajudem o corpo físico a recobrar a força, auxiliem a mente a serenar-se, e ampliem seu panorama e sua luta pela perfeição, trazendo, assim, paz e harmonia para toda a personalidade. Tais remédios existem na natureza, e foram colocados ali pela graça do Divino Criador para a cura e o conforto da humanidade. Alguns desses são conhecidos, e outros estão sendo procurados atualmente pelos médicos nas diferentes partes do mundo, principalmente na nossa Mãe Índia, e não há dúvida de que quando tais pesquisas forem mais desenvolvidas, recuperaremos grande parte do conhecimento adquirido há mais de dois mil anos, e o curador do futuro terá à sua disposição os remédios naturais e maravilhosos que foram dados ao homem para aliviá-lo da doença.

Assim, o extermínio da enfermidade dependerá de que a humanidade descubra a verdade das leis inalteráveis do nosso Universo, e de que se adapte com humildade e obediência a essas leis, estabelecendo, assim, a paz com a sua Alma e adquirindo a verdadeira alegria e a felicidade da vida. E a parte que caberá ao médico será ajudar alguém que esteja sofrendo a conhecer essa verdade, indicar-lhe os meios pelos quais poderá conseguir a harmonia, inspirá-lo com a fé em sua Divindade que a tudo pode vencer, e ministrar remédios físicos tais que o ajudem a harmonizar sua personalidade e a curar seu corpo.

CAPÍTULO VII

E agora chegamos ao problema mais importante de todos: como podemos ajudar a nós mesmos? Como podemos manter nossa mente e nosso corpo num estado de harmonia que dificulte ou impossibilite a doença de atacar-nos? — Pois é certo que a personalidade sem conflito é imune à enfermidade.

Em primeiro lugar, consideremos a mente. Já discutimos extensamente a necessidade de buscar em nós mesmos os defeitos que possuímos e que nos fazem agir contra a Unidade e em desarmonia com os desígnios da Alma, e de eliminar esses defeitos desenvolvendo as virtudes opostas. Isso pode ser conseguido obedecendo às linhas de conduta já mencionadas; um honesto exame de consciência nos revelará a natureza de nossos erros. Nossos conselheiros espirituais, os médicos verdadeiros e os amigos íntimos, todos eles poderão ajudar-nos a traçar um fiel retrato de nós mesmos, mas o melhor método de aprendizagem é o pensamento sereno, a meditação, e colocarmo-nos numa tal atmosfera de paz que nossas Almas sejam capazes de falar-nos através de nossa consciência e intuição, e de guiar-nos segundo as suas vontades. Se pelo menos pudermos nos recolher por um breve momento todos os dias, completamente sós e num lugar o mais tranqüilo possível, sem que nada nos interrompa, sentar-nos ou deitarmo-nos tranqüilamente, sem pensar em nada ou pensando calmamente em nossa missão nesta vida, depois de algum tempo veremos que temos muita ajuda nesses momentos e é como se lampejos de conhecimento e de orientação nos fossem dados. Descobrimos que as perguntas sobre problemas difíceis desta vida são claramente respondidas, e nos tornamos capazes de escolher com segurança o caminho certo. Nesses momentos, devemos ter em nosso coração o sincero desejo de servir a humanidade e de trabalhar de acordo com os desígnios de nossa Alma.

Lembremos que, quando o defeito é descoberto, o remédio não consiste em lutar contra esse defeito, nem usar de energia e força de vontade para suprimir o erro, mas no firme desenvolvimento da virtude oposta, desse modo eliminando automaticamente da nossa natureza qualquer vestígio de transgressão. Este é o método verdadeiro e natural de avançar e de superar o erro, incomensuravelmente mais fácil e eficiente do que combater um defeito em particular. Combater um defeito aumenta o poder dele, mantém nossa atenção fixa na sua presença, e nos leva a uma verdadeira batalha; o maior êxito que podemos esperar num caso desses é vencê-lo suprimindo-o, o que deixa muito a desejar, já que o inimigo permanece conosco e pode, num momento de fraqueza nossa, ressurgir com forças renovadas. Esquecer a falha e se esforçar conscientemente para desenvolver a virtude que a torne impossível: esta é a verdadeira vitória.

Por exemplo, se existe crueldade em nossa natureza, podemos repetir continuamente: "Não serei cruel" e, assim, evitar errar nessa direção; mas o êxito nesse caso depende da força da mente e, se ela fraquejar, poderemos por um momento esquecer nossa boa intenção. Mas se, por outro lado, desenvolvermos uma verdadeira compaixão para com nossos semelhantes, essa qualidade fará com que a crueldade seja impossível de uma vez por todas, pois evitaremos tal ação com horror graças ao nosso sentimento de comunhão para com o próximo. Nesse caso, não há nenhuma supressão, nenhum inimigo oculto que possa investir quando tivermos baixado a guarda, porque nossa compaixão terá eliminado completamente de nossa natureza a possibilidade de qualquer ato que possa magoar os demais.

Como vimos anteriormente, a natureza de nossos males físicos nos ajudará materialmente, indicando-nos a desarmonia mental que é a causa básica de sua origem; e outro grande fator de êxito é que devemos ter gosto pela vida, e olhar a existência não meramente como um dever a ser cumprido com tanta paciência quanto possível, mas desenvolver uma verdadeira alegria na aventura de nossa jornada por este mundo.

Talvez uma das maiores tragédias do materialismo seja o desenvolvimento do tédio e da perda da autêntica felicidade interior; ele ensina as pessoas a buscar o contentamento e a compensação para as atribulações nos divertimentos e prazeres terrenos, que não podem nos proporcionar mais que um esquecimento temporário de nossas dificuldades. Uma vez que começamos a buscar a compensação de nossas provações nas mãos de um humorista profissional, começamos um círculo vicioso. A diversão, os entretenimentos e as frivolidades são bons para todos nós, mas não quando dependemos deles continuamente para minorar nossos problemas. As diversões mundanas de todo tipo têm de aumentar sua intensidade para conservar sua eficácia, e o que ontem nos emocionava torna-se enfadonho amanhã. Assim, seguimos buscando outras e mais fortes sensações, até que ficamos enfadados e não obtemos mais alívio nesse sentido. De uma forma ou de outra, a dependência das diversões mundanas nos converte a todos em Faustos, e ainda que não estejamos plenamente conscientes disso, a vida se torna para nós pouco mais que um dever paciente, e todo seu autêntico gosto e alegria, que deviam ser a herança de cada criança e manter-se até nossas últimas horas, se afastam de nós. O extremo disso está sendo alcançado hoje em dia nos esforços científicos desenvolvidos no sentido de se obter o rejuvenescimento, o prolongamento da vida natural e o aumento dos prazeres dos sentidos por meio de práticas demoníacas.

O tédio é responsável pela admissão em nosso ser de uma incidência de enfermidades muito maior que o que geralmente se acredita, e como ele tende a aparecer cedo na vida que levamos atualmente, da mesma forma os males associados a ele tendem a aparecer em idade cada vez mais tenra. Essa circunstância não se dará se reconhecermos a verdade de nossa Divindade, nossa missão no mundo e, desse modo, se contarmos com a alegria de adquirir experiência e de ajudar aos demais. O antídoto para o tédio é assumir um ativo e vívido interesse por tudo que nos rodeia, estudar a vida durante o dia inteiro, e aprender, aprender e aprender com os nossos semelhantes e com os fatos da vida a Verdade que se oculta por trás de todas as coisas, entregarmo-nos à arte de obter conhecimento e experiência, e aproveitar as oportunidades quando podemos nos utilizar delas em favor de um companheiro de jornada. Assim, cada momento de nosso trabalho e de nossa diversão trarão consigo um grande entusiasmo por aprender, um desejo de vivenciar coisas reais, aventuras reais e ações significativas e, conforme desenvolvermos essa faculdade, veremos que estaremos recuperando o poder de extrair alegria dos menores incidentes, e circunstâncias que antes considerávamos monótonas e banais tornar-se-ão oportunidades de investigação e de aventura. Nas coisas mais singelas da vida — singelas porque estão mais próximas da grande Verdade — é que se encontra o verdadeiro prazer.

A resignação, que nos converte em meros passageiros desatentos na jornada da vida, abre-nos as portas a influências adversas incalculáveis e que nunca teriam oportunidade de entrar se vivêssemos o cotidiano com espírito de alegria e de aventura. Qualquer que seja a nossa condição, a de trabalhador numa cidade populosa ou a de pastor solitário nas colinas, esforcemo-nos em converter a monotonia em interesse, o dever aborrecido em uma alegre oportunidade para uma nova experiência, e a vida cotidiana num intenso estudo da humanidade e das leis fundamentais do Universo. Em todo lugar há amplas oportunidades para se observar as leis da Criação, tanto nas montanhas como nos vales, ou entre nossos irmãos. Antes de mais nada, transformemos a vida numa aventura de interesse absorvente, onde o tédio não é mais possível e a partir do conhecimento assim adquirido, busquemos estabelecer uma harmonia entre nossa mente, nossa Alma e a grande Unidade da Criação de Deus.

Outra ajuda fundamental para nós é pôr de lado todo o medo. O medo, na realidade, não tem lugar no reino humano natural, já que a Divindade dentro de nós, que é nós próprios, é invencível e imortal; e se apenas nos déssemos conta disso, nós, como Filhos de Deus, não teríamos nada a temer. Nas épocas materialistas, o medo aumenta naturalmente com as posses materiais (seja do próprio corpo, seja de riquezas externas) pois, se tais coisas constituem nosso mundo, por serem tão passageiras, tão difíceis de se obterem e tão impossíveis de se conservarem, exceto por um breve momento, elas despertam em nós a maior ansiedade, pelo receio que temos de perder uma oportunidade de consegui-las enquanto podemos. Assim, necessariamente temos de viver num constante estado de medo, consciente ou subconsciente, já que em nosso íntimo sabemos que tais posses podem, a qualquer momento, ser arrebatadas de nós e que por mais que possamos conservá-las, o será por um breve momento na vida.

Nessa época, o medo pelas enfermidades aumentou até converter-se num grande poder capaz de causar danos, porque abre as portas às coisas que tememos e facilita o seu ingresso. Tal medo é realmente um egoísmo, pois, quando estamos verdadeiramente absorvidos no bem-estar alheio, não há tempo para que fiquemos apreensivos quanto às nossas enfermidades pessoais. O medo está atualmente desempenhando um importante papel na intensificação da doença, e a ciência moderna tem aumentado esse reino de terror por espalhar ao público em geral suas descobertas, que não passam de meias verdades. O conhecimento das bactérias e dos vários germes associados com as enfermidades tem causado danos nas mentes de milhares de pessoas e, pelo pânico que vem provocando, têm-nas tornado mais suscetíveis de ser atacadas. Enquanto formas inferiores de vida, como as bactérias, podem desempenhar um papel ou estar associadas com a doença física, não constituem em absoluto todo o problema, como pode ser demonstrado cientificamente ou com exemplos da vida cotidiana. Há um fator que a ciência não é capaz de explicar no terreno físico, e é o de algumas pessoas serem afetadas pela enfermidade enquanto outras escapam a ela, ainda que todas possam estar expostas à mesma possibilidade de infecção. O materialismo esquece que há um fator acima do plano físico que no curso comum da vida protege ou torna suscetível todo indivíduo no que concerne à enfermidade, qualquer que seja a sua natureza. O medo, com seu efeito depressivo sobre nossa mentalidade, que causa desarmonia em nossos corpos físicos e magnéticos, abre caminho para a invasão, e se as bactérias e os meios físicos fossem os únicos e verdadeiros causadores da doença, o medo estaria justificado. Mas quando nos damos conta de que nas piores epidemias apenas uma proporção daqueles que estão expostos à infecção são atacados, e, como já vimos, de que a causa real da doença jaz em nossa personalidade e está sob nosso controle, temos condições de caminhar sem medo, sabendo que o remédio se encontra em nós mesmos. Podemos eliminar da nossa mente todo o medo dos agentes físicos como únicos causadores da doença, já que essa ansiedade somente nos deixa vulneráveis, e que se estivermos buscando trazer harmonia para nossa personalidade, não temos de nos preocupar com uma enfermidade mais do que tememos ser fulminados por um raio ou ser atingidos por um fragmento de um meteoro.

Agora consideremos o corpo físico. Nunca devemos esquecer que ele nada mais é que a morada terrena da Alma, morada em que habitamos apenas por uma breve temporada para podermos entrar em contato com o mundo, no intuito de adquirir experiência e conhecimento. Sem que nos identifiquemos demasiado com nossos corpos, tratemo-los com respeito e cuidado, de modo que se mantenham saudáveis e resistam mais tempo, a fim de que cumpramos nosso trabalho. Em nenhum momento devemos nos preocupar excessivamente com eles, mas devemos aprender a ter a menor consciência possível de sua existência, utilizando-os como veículos de nossa Alma e de nossa mente, como servos de nossa vontade. A limpeza interna e externa é de grande importância. Para a primeira delas, nós, ocidentais, utilizamos água excessivamente quente; isso abre os poros e permite a entrada da sujeira. Além disso, o uso excessivo de sabão torna a superfície da pele pegajosa. A água fria ou a morna, corrente como num banho de chuveiro ou trocada várias vezes, está mais próxima do método natural e mantém o corpo mais saudável; só a quantidade necessária de sabão para remover a sujeira evidente deve ser usada, e o corpo logo enxaguado com nova água.

A limpeza interna depende da dieta, e deveríamos escolher todas as coisas limpas, saudáveis e tão frescas quanto possível, principalmente frutas naturais, vegetais e nozes.

Certamente, carne animal deveria ser evitada; primeiramente, por dar origem a várias toxinas no corpo; em segundo lugar, por estimular um apetite excessivo e anormal; em terceiro, porque implica crueldade para com o mundo animal. Deve-se tomar bastante líquido para se purificar o corpo, como água, vinhos naturais e produtos derivados diretamente do armazém da natureza, evitando as bebidas destiladas, mais artificiais.

O sono não deve ser excessivo, já que temos mais controle sobre nós mesmos quando estamos acordados do que quando adormecidos. O velho ditado "hora de virar, hora de levantar" é um excelente conselho de quando sair da cama.

As roupas devem ser tão leves quanto permita o calor; devem deixar o ar chegar até o corpo, e, sempre que possível, a pele deve ficar exposta à luz do sol e ao ar fresco. Os banhos de água e de sol são grandes fontes de saúde e vitalidade.

Em todas as coisas, a alegria deve ser estimulada, e não devemos permitir que sejamos oprimidos pela dúvida e pela depressão, mas lembrar que tudo isso não faz parte de nós, pois nossas Almas conhecem apenas alegria e felicidade.

CAPÍTULO VIII

Assim, vemos que nossa vitória sobre a doença dependerá principalmente do seguinte: em primeiro lugar, da compreensão da Divindade que existe dentro de nossas naturezas, do nosso conseqüente poder para superar o que esteja errado; em segundo, do conhecimento de que a causa básica da doença deve-se à desarmonia entre a personalidade e a Alma; em terceiro, de nossa boa vontade e da habilidade para se descobrir a falta que está causando tal conflito; em quarto, da remoção desse defeito, desenvolvendo a virtude oposta.

O dever da arte de curar consistirá em ajudar-nos a obter o conhecimento necessário e os meios pelos quais superar nossos males e, além disso, em administrar os remédios que fortaleçam nossos corpos físicos e mentais e nos dêem maiores oportunidades de vitória. Só assim estaremos verdadeiramente aptos a atacar a doença em sua base com uma viva esperança de êxito. A escola médica do futuro não se interessará em particular pelos resultados finais e produtos da doença, não dará muita importância às lesões físicas em si, tampouco administrará drogas e produtos químicos apenas no intuito de atenuar nossos sintomas, mas, compreendendo a verdadeira causa da doença, consciente de que as óbvias conseqüências físicas são meramente secundárias, concentrará seus esforços no intuito de estabelecer a harmonia entre o corpo, a mente e a alma, a qual proporciona o alívio e a cura da enfermidade. Nesses casos em que o esforço é feito suficientemente cedo, a correção da mente evitará a enfermidade iminente.

Entre os tipos de remédios que serão utilizados, estarão os que são obtidos da maioria das plantas e das ervas mais bonitas que se encontram no boticário da Natureza, plantas que foram divinamente enriquecidas com poderes curativos para o corpo e para a mente do homem.

Cabe a nós praticar a paz e a harmonia, a individualidade e a firmeza de propósito, e desenvolver progressivamente o conhecimento de que, em essência, somos de origem Divina, filhos do Criador, e, portanto, temos dentro de nós o poder de alcançar a perfeição se apenas o desenvolvermos, como o faremos, seguramente, mais cedo ou mais tarde. E essa realidade deve crescer em nós até que se torne o traço mais marcante de nossa existência. Devemos praticar firmemente a paz, imaginando nossa mente como um lago sempre calmo, sem agitações, sem mesmo ondulações para perturbar sua tranqüilidade e, aos poucos, desenvolver esse estado de paz até que nenhum acontecimento da vida, nenhuma circunstância, nenhuma outra personalidade seja capaz, sob qualquer condição, de encrespar a superfície do lago ou de despertar em nós sentimentos de irritabilidade, depressão ou dúvida. Ajudar-nos-á efetivamente reservar poucos momentos diários para pensar serenamente na beleza da paz e nos benefícios da calma, e compreender que não é através de preocupação ou de ansiedade que poderemos realizar mais; mas sim, que nos tornamos mais eficientes em tudo o que empreendemos, através de pensamentos e ações calmos e serenos. Harmonizar nossa conduta nesta vida de acordo com os desejos de nossa própria Alma, e permanecer num estado de paz tal que as atribulações e preocupações do mundo nos deixem impassíveis, é, na verdade, uma grande conquista e nos dá aquela Paz que transcende a compreensão; e embora isso possa parecer um ideal inatingível, ele está, na realidade, com paciência e perseverança, ao alcance de todos nós.

Não nos pedem que sejamos todos santos, mártires ou pessoas de renome; à maioria de nós estão reservados trabalhos menos notáveis; mas se espera que entendamos as alegrias e as aventuras da vida e que cumpramos o quinhão de trabalho que a Divindade reservou para nós.

Àqueles que estão enfermos, a tranqüilidade, a serenidade da mente e a harmonia com a Alma são os maiores recursos para se atingir a recuperação. A medicina e a enfermagem do futuro prestarão muito maior atenção ao desenvolvimento disso no paciente do que fazemos hoje quando, incapazes de julgar o progresso de um caso exceto por meios científicos materialistas, pensamos as mais das vezes em tomar a temperatura e em prestar certo número de serviços que interrompem, mais do que proporcionam, aquele descanso tranqüilo e relaxamento do corpo e da mente que são tão essenciais à recuperação. Não há dúvida de que ao aparecer o menor sintoma do mal, se pudermos passar poucas horas completamente relaxados e em harmonia com nosso Eu Superior, a doença será repelida. Em tais momentos, necessitamos criar em nós mesmos uma fração dessa calma, simbolizada pela entrada de Cristo na barca durante a tempestade no lago da Galiléia, quando ordenou: "Paz, aquieta-te."

Nossa visão da vida depende da proximidade de nossa personalidade em relação a nossa Alma. Quanto maior a união, maiores serão a harmonia e a paz e mais claramente a luz da Verdade brilhará, e a radiante felicidade que pertence aos mais elevados domínios; estas nos manterão firmes e sem esmorecimento diante das dificuldades e dos horrores do mundo, já que têm sua base na Verdade Eterna do Bem. O conhecimento da Verdade também nos dá a certeza de que, por mais trágicos que possam parecer alguns dos acontecimentos do mundo, eles formam apenas um simples estágio temporário na evolução do homem; e que mesmo a doença é, em si mesma, benéfica e age sob intervenção de certas leis destinadas a produzir um bom resultado e a exercer um contínuo estímulo rumo à perfeição. Os que possuem tal conhecimento não podem afetar-se, diminuir-se ou desalentar-se por esses acontecimentos, que tanto pesam sobre os outros, e toda incerteza, medo e desespero desaparecem para sempre. Se apenas pudermos nos manter numa comunhão constante com nossa Alma, nosso Pai Celestial, o mundo será realmente um lugar de alegria, e nenhuma influência adversa poderá ser exercida sobre nós.

Não nos é permitido ver a magnitude de nossa Divindade, nem compreender o alcance de nosso Destino e o futuro glorioso que está diante de nós; pois, se assim fosse, a vida não seria uma prova nem envolveria esforço, nem testaria o nosso mérito. Nossa virtude consiste em estarmos esquecidos na maior parte dessas coisas grandiosas, e ainda assim ter fé e coragem para viver bem e dominar as dificuldades desta terra. Contudo, podemos, por comunhão com nosso Eu Superior, manter essa harmonia que nos torna capazes de superar todos os obstáculos terrenos e empreender nossa jornada ao longo do caminho reto para cumprirmos nosso destino, imunes às influências que nos possam desviar.

Depois, devemos desenvolver a individualidade e nos libertar de todas as influências do mundo, para que, obedecendo unicamente aos desígnios de nossa Alma, sem deixarmos nos envolver pelas circunstâncias ou pelas pessoas, nos convertermos em nossos próprios senhores, governando nosso barco pelos mares agitados da vida, sem jamais abandonar o leme da retidão ou deixar sua direção em mãos alheias. Devemos conquistar nossa liberdade de maneira absoluta e completa, de modo que, tudo o que fizermos, cada uma de nossas ações — ou mesmo cada pensamento — tenha a sua origem em nós próprios, permitindo-nos, assim, viver e dar-nos livremente por decisão nossa, e só nossa.

A maior dificuldade que temos nesse sentido se encontra talvez nos que estão mais próximos de nós nesta época em que o medo da convenção e dos falsos modelos de dever são tão assustadoramente desenvolvidos. Mas devemos desenvolver nossa coragem, que em muitos de nós é suficiente para enfrentar as coisas aparentemente mais importantes da vida, mas é pouca, no entanto, para as provações mais íntimas. Devemos ser capazes de identificar de maneira impessoal o certo e o errado e agir sem medo em presença de um amigo ou de um familiar. Quantos de nós são heróis no mundo externo, mas covardes em casa! Na verdade, por mais sutis que sejam os meios utilizados para nos impedir de cumprir nosso Destino, o pretexto do amor e da afeição, ou um equivocado sentido de dever, métodos que nos escravizam e nos mantêm prisioneiros das vontades e desejos dos outros, devemos rejeitá-los veementemente. A voz de nossa Alma, e somente essa voz, deve ser atendida no que diz respeito ao nosso dever, sem que nos desviem os que estão à nossa volta. Será necessário desenvolver ao máximo a individualidade, e temos de aprender a andar pela vida sem confiar em ninguém a não ser na nossa Alma para obter orientação e ajuda, para conquistarmos nossa liberdade com ambas as mãos e lançarmo-nos no mundo para adquirir cada partícula possível de conhecimento e experiência.

Ao mesmo tempo, devemos estar em guarda para permitir a cada um também exercer sua liberdade, para nada esperar dos demais, mas, pelo contrário, estarmos sempre prontos a conceder uma mão amiga para erguê-los nos momentos de necessidade e dificuldade. Assim, cada personalidade com que encontramos nessa vida, quer seja mãe, marido, filho, estranho ou amigo, torna-se um companheiro de viagem, e qualquer um deles pode ser maior ou menor que nós no que diz respeito ao desenvolvimento espiritual; mas todos nós somos membros de uma mesma irmandade e parte de uma grande comunidade que faz a mesma viagem tendo o mesmo objetivo glorioso em vista.

Devemos ser firmes na determinação de vencer, resolutos na vontade de conquistar o topo da montanha; não nos detenhamos pensando nos tropeços do caminhar. Nenhuma grande ascensão se deu sem falhas e quedas, e elas devem ser consideradas como experiências que nos ajudarão a tropeçar menos no futuro. Nenhum pensamento sobre os erros passados deve jamais deprimir-nos; eles passaram, estão acabados, e o conhecimento assim adquirido ajudar-nos-á a evitar sua repetição. Firmemente devemos ir em frente sem arrependimentos e sem olhar para trás, pois o passado, mesmo que seja de uma só hora, já ficou para trás, e o futuro glorioso, com o brilho da sua luz, sempre está à nossa frente. Todo medo deve ser banido, nunca deveria existir na mente humana, e só é possível quando perdemos de vista a Divindade. É algo estranho a nós, porque somos filhos do Criador, Centelhas da Vida Divina, invencíveis, indestrutíveis e imbatíveis. A doença é aparentemente cruel porque é a penalidade por erros de pensamento e de ação, que resultaram cruéis para com os outros. Daí a necessidade de desenvolver ao máximo o amor e o lado fraterno de nossas naturezas, que tornarão a crueldade impossível no futuro.

O desenvolvimento do Amor nos traz a compreensão da Unidade, da verdade de que cada um de nós e todos somos a Grande Criação Una.

A causa de todos os nossos problemas é o ego e a separatividade, e esses desaparecem tão logo o Amor e o conhecimento da grande Unidade se tornem parte de nossas naturezas. O Universo é Deus tornado objetivo; ao nascer o Universo, ele é Deus renascido; ao findar, ele é Deus mais evoluído. Assim é com o homem; seu corpo é a exteriorização dele mesmo, é uma manifestação objetiva de sua natureza interna, é a expressão de si mesmo, a materialização das qualidades de sua consciência.

Em nossa civilização ocidental temos o exemplo glorioso, o grande modelo de perfeição e os ensinamentos de Cristo para guiar-nos; ele atua em nosso favor como um Mediador entre nossa personalidade e nossa Alma. Sua missão na terra foi ensinar-nos como obter harmonia e entrarmos em comunhão com nosso Eu Superior, com Nosso Pai que está no céu e, por meio disso, como obter a perfeição de acordo com a Vontade do Grande Criador de todas as coisas.

Assim também ensinou-nos o Senhor Buda, e outros grandes Mestres que de tempos em tempos vieram à terra para mostrar aos homens o modo de se atingir a perfeição. Não há caminho intermediário para á humanidade. A verdade tem de ser reconhecida, e o homem tem de se unir ao infinito plano de Amor do seu Criador.

Portanto, venham, meus irmãos e irmãs, para o glorioso resplendor do conhecimento de sua Divindade. Esforcem-se séria e firmemente para unir-se ao Desígnio Magno de serem felizes e comunicarem a felicidade, juntando-se ao grande grupo da Fraternidade Branca, cuja razão de ser é obedecer à vontade de seu Deus e cuja grande alegria está em servir seus irmãos mais jovens.

OS DOZE REMÉDIOS
e outros remédios

INTRODUÇÃO

Desde tempos imemoriais sabe-se que a Providência colocou na natureza recursos capazes de prevenir e de curar as enfermidades, como ervas, plantas e árvores divinamente enriquecidos. Os remédios da natureza expostos neste livro demonstraram contar com a bênção que os sobrepõe aos demais em seu trabalho beneficente; e demonstraram ser capazes de curar todo tipo de enfermidades e sofrimentos.

Ao cuidar dos pacientes com esses remédios, não se leva em conta a natureza da enfermidade; trata-se o indivíduo e, quando este melhora, sua enfermidade se vai, pois é expulsa pelo retorno da saúde.

Todos sabemos que a mesma enfermidade pode ter efeitos diferentes em pessoas diferentes; é dos efeitos que devemos nos ocupar, porque eles nos guiam até a verdadeira causa da doença.

Devido ao fato de a mente ser a parte mais delicada e sensível do corpo, nela aparecem mais claramente a gênese e o curso da enfermidade do que no resto do corpo, e é por isso que se utiliza a observação da mente como guia para conhecer que remédio ou que agrupamento de remédios é necessário.

Na enfermidade dá-se uma mudança no estado de espírito que se tem normalmente, e as pessoas observadoras podem notar essa mudança até mesmo antes e, vez por outra, muito antes do aparecimento da enfermidade; com um tratamento adequado, podem conseguir preveni-la. Quando a doença se manifesta durante algum tempo, é também o humor do paciente que nos pode indicar o remédio correto.

Não nos fixemos na enfermidade, pensemos apenas em como o paciente vê a vida.

Neste livro são descritos de maneira bem simples trinta e oito estados diferentes: não deve ser difícil, para qualquer um, reconhecer o estado ou estados em que se acha uma pessoa e, desse modo aplicar os remédios necessários para que se efetue a cura.

Manteve-se o título *Os Doze Remédios* para este livro por ser familiar a muitos leitores.

O alívio dos sofrimentos era tão seguro e eficiente, mesmo quando só havia doze remédios, que se julgou necessário transmitir esses conhecimentos ao público, sem esperar que fossem descobertos os outros vinte e seis que completariam a série. Os doze remédios originais são indicados com asteriscos.

OS REMÉDIOS
E AS RAZÕES DE CADA UM

OS 38 REMÉDIOS

agrupados sob os seguintes títulos

1. Para o medo
2. Para a indecisão
3. Para a falta de interesse pelas circunstâncias atuais
4. Para a solidão
5. Para a sensibilidade excessiva a influências e opiniões
6. Para o desalento ou desespero
7. Para a excessiva preocupação com o bem--estar dos outros

PARA OS QUE SENTEM MEDO

* ROCK ROSE
Helianthemum Nummularium

É o remédio da salvação. É aplicado nos casos de emergência para os quais parece não haver nenhuma esperança. Útil em acidentes ou em enfermidades que surgem repentinamente, ou nos momentos em que o enfermo está muito assustado ou aterrorizado, ou quando o estado é grave o bastante para causar inquietação nos que estão ao seu redor. Se ele estiver inconsciente, pode-se umedecer-lhe os lábios com este remédio. Outros remédios podem ser também necessários; no caso, por exemplo, em que há inconsciência – ou seja, num estado de profunda sonolência –, Clematis; no caso de o paciente encontrar-se atormentado, Agrimony, etc.

* MIMULUS
Mimulus Guttatus

Bom para quando se tem medo das coisas do mundo, da enfermidade, da dor, dos acidentes, da pobreza, da escuridão, de estar só, da desgraça. Para os temores do dia-a-dia. Para pessoas que carregam consigo medos em silêncio e secretamente, sem falar disso livremente com os outros.

* CHERRY PLUM
Prunus Cerasifera

Para quando se tem medo de que a mente se esgote, de que se perca a razão, de que se faça coisas espantosas e horríveis, indesejáveis e prejudiciais, embora se pense nelas e se sinta impelido para elas.

ASPEN
Populus Tremula

Para medos indefinidos e desconhecidos, que não têm nem explicação nem razão de ser. O paciente também pode estar apavorado diante do pressentimento de que algo terrível vai acontecer, sem que saiba exatamente o que será.

Esses medos indefinidos e inexplicáveis podem obcecá-lo dia e noite. Os que os sofrem costumam ter receio de contar aos demais suas preocupações.

RED CHESTNUT
Aesculus Carnea

Para as pessoas às quais é difícil não ficarem aflitas pelos demais.

Com freqüência não se preocupam consigo mesmas, mas chegam a sofrer muito pelas pessoas que amam, antecipando as desgraças que podem ocorrer-lhes.

PARA OS QUE SOFREM DE INDECISÃO

* CERATO
Ceratostigma Willmottiana

Para os que não têm bastante confiança em si mesmos para tomar as próprias decisões. Estão constantemente pedindo conselhos aos outros, sendo muitas vezes mal-aconselhados.

* SCLERANTHUS
Scleranthus Annuus

Para os que são incapazes de se decidir entre duas coisas, inclinando-se ora em direção a uma, ora a outra.

São geralmente pessoas tranqüilas, caladas, que carregam sozinhas a sua dificuldade, pois não se sentem inclinadas a tratar dela com os outros.

* GENTIAN
Gentiana Amarella

Para os que desanimam facilmente. Essas pessoas podem fazer progressos satisfatórios no que diz respeito à enfermidade e aos negócios da vida cotidiana, mas, diante do menor imprevisto ou entrave, começam a vacilar e logo desanimam.

GORSE
Ulex Europaeus

É um remédio apropriado para casos em que há grande desesperança. Para a pessoa que perdeu toda a fé em que se possa fazer algo por ela.

Quando persuadida ou para satisfazer aos demais, pode experimentar tratamentos diferentes, ao mesmo tempo assegurando a todos os que a rodeiam de que há pouca esperança de alívio.

HORNBEAM
Carpinus Betulus

Auxilia os que sentem que não têm força suficiente, tanto mental quanto física, para carregar o fardo da vida que lhes foi colocado sobre os ombros; as solicitações da vida cotidiana lhes parecem excessivas, se bem que costumem cumprir com suas obrigações de modo satisfatório.

Aconselhável para os que crêem que uma parte, da mente ou do corpo, necessita fortalecer-se antes que possam fazer bem o seu trabalho.

WILD OAT
Bromus Mamosus

Apropriada para os que têm ambições quanto a realizar algo importante na vida, os que querem adquirir muita experiência, desfrutar de tudo que está ao seu alcance e viver a vida ao máximo.

Sua dificuldade consiste em determinar a que ocupação desejam se entregar, pois, embora suas ambições sejam fortes, não têm uma vocação que os atraia acima das demais.

Isso pode trazer-lhes perda de tempo e insatisfação.

FALTA DE INTERESSE PELAS CIRCUNSTÂNCIAS ATUAIS

* CLEMATIS
Clematis Vitalba

De grande utilidade para as pessoas sonolentas, indolentes, que nunca estão totalmente despertas, nem demonstram grande interesse pela vida. Para pessoas paradas, que não estão muito felizes com a situação em que se acham, e que vivem mais no futuro do que no presente, alimentando esperanças de que cheguem melhores dias, quando seus ideais tornar-se-ão realidade. Algumas dessas pessoas, quando estão doentes, se esforçam muito pouco para se recuperar e, em alguns casos, chegam a desejar a morte, na esperança de tempos melhores ou de encontrar uma pessoa querida que tenham perdido.

HONEYSUCKLE
Lonicera Caprifolium

Para os que vivem muito no passado, lembrando-se talvez de uma época de grande felicidade, ou de um amigo morto, ou pensando nos sonhos que não se tornaram realidade. Não acreditam que possam ter felicidade como a que um dia tiveram.

WILD ROSE
Rosa Canina

Para os que, aparentemente sem razão suficiente, se conformam com tudo o que acontece à sua volta, e se limitam a passar pela vida, aceitando-a como ela é, sem se esforçar por melhorar as coisas nem por encontrar alegria. Renderam-se, sem se lamentar, na luta pela vida.

OLIVE
Olea Europaea

Apropriada para os que muito sofreram, mental ou fisicamente, e que se encontram tão exaustos e esgotados que sentem faltar-lhes as forças para fazerem o que quer que seja. Para eles, a vida cotidiana implica um grande esforço, e não lhes proporciona prazer.

WHITE CHESTNUT
Aesculus Hippocastanum

Para os que não conseguem evitar pensamentos, idéias e deduções que não gostariam que entrassem em suas mentes. Isso costuma acontecer em épocas nas quais o interesse do momento não é intenso o bastante para ocupar sua mente por completo.

Os pensamentos preocupantes não os abandonam ou, se se desfazem por alguns momentos, retornam em seguida. Parecem dar voltas e voltas, causando um tormento mortal.

A presença de tais pensamentos desagradáveis põe fim à calma e interfere na capacidade de se concentrar somente no trabalho ou na diversão do dia.

MUSTARD
Sinapsis Arvensis

Para os que estão sujeitos a períodos de melancolia, e até de desespero, como se pairasse sobre eles uma nuvem gélida e sombria, encobrindo a luz e a alegria da vida. Essas crises podem não ter nenhuma razão ou explicação aparente.

Nessas condições, é praticamente impossível mostrar-se feliz ou animado.

CHESTNUT BUD
Aesculus Hippocastanum

Para os que não tiram todo o proveito da observação e da experiência, e que levam mais tempo que os outros para aprender as lições da vida cotidiana.

Embora uma experiência basta para alguns, essas pessoas necessitam de mais, às vezes de várias experiências, antes de aprender a lição.

Por isso, para seu pesar, acabam tendo de cometer o mesmo erro em diferentes ocasiões, enquanto uma vez seria o bastante, ou enquanto uma observação dos outros poderia evitar até esse único erro.

PARA A SOLIDÃO

*WATER VIOLET
Hottonia Palustris

Para os que, na saúde ou na doença, apraz ficarem sós. Pessoas muito silenciosas, que andam sem fazer ruído, que falam pouco e com suavidade. Essas pessoas são muito independentes, capazes e seguras de si. Não são influenciadas pelas opiniões alheias. Reservadas, deixam as pessoas sozinhas e seguem o próprio caminho. Com freqüência, são pessoas inteligentes e talentosas. Sua paz e serenidade são uma bênção para quantos as rodeiam.

* IMPATIENS
Impatiens Grandulifera

Para os que são rápidos de pensamento e ação, e que querem que tudo se faça sem hesitação nem atraso. Quando estão doentes, ficam ansiosos para se restabelecerem rapidamente. É-lhes muito difícil ter paciência com pessoas lentas, pois isso lhes parece errado e uma perda de tempo; assim, se esforçarão para fazer com que essas pessoas sejam mais rápidas de qualquer modo.

Freqüentemente preferem trabalhar e pensar sozinhos, para que possam fazer as coisas em seu próprio ritmo.

HEATHER
Calluna Vulgaris

Para os que estão constantemente buscando a companhia de alguém que esteja disponível, pois sentem necessidade de discutir seus problemas com os demais, seja quem for. São pessoas muito infelizes quando têm de ficar sozinhas por algum tempo.

PARA OS QUE TÊM SENSIBILIDADE EXCESSIVA A INFLUÊNCIAS E OPINIÕES

* AGRIMONY
Agrimonia Eupatoria

Para pessoas joviais, animadas, de bom humor, que gostam de paz e que se desagradam com discussões ou com brigas, a ponto de devido a isso renunciarem a muitas coisas.

Essas pessoas, ainda que amiúde tenham problemas, tormentos e inquietações, e sintam perturbações na mente e no corpo, escondem suas aflições por trás de seu bom humor e brincadeiras, sendo consideradas ótimas amigas. Com freqüência tomam álcool ou drogas em excesso para se estimularem e continuarem suportando suas atribulações com ânimo.

* CENTAURY
Erythroea Centaurium

Para pessoas delicadas, silenciosas e suaves, que se mostram demasiadamente ansiosas em servir aos demais. Supervalorizam a própria força na ânsia de agradar.

Seu anseio cresce de tal modo que elas se convertem mais em escravos do que em voluntários no auxílio aos outros. Sua bondade as leva a cumprir mais tarefas do que lhes é possível fazer e, assim, chegam a descuidar da sua própria missão nesta vida.

WALNUT
Juglans Regia

Para os que têm ideais e ambições bem definidos na vida e que os estão concretizando, mas algumas vezes se vêem tentados a se afastar de suas próprias idéias, de seus objetivos e do próprio trabalho diante do entusiasmo, das convicções ou das convincentes opiniões dos demais.

É o remédio adequado para proporcionar constância e proteger o indivíduo de influências externas.

HOLLY
Ilex Aquifolium

Para os que se vêem às vezes atacados por pensamentos tais como a inveja, o ciúme, a vingança, a suspeita.
Para os diferentes tipos de desgosto que se pode sofrer.
Tais pessoas podem sofrer muito, sendo que, com freqüência, não existe uma causa real para a sua infelicidade.

PARA O DESALENTO OU DESESPERO

LARCH
Larix Decidua

Para os que não se consideram tão bons nem tão capacitados quanto quem os rodeia, e que esperam o fracasso, sentindo que nunca farão nada bem, e que, por isso, não se arriscam nem se esforçam o suficiente para obter êxito.

PINE
Pinus Sylvestris

Para os que se culpam a si mesmos. Até mesmo quando algo lhes sai bem, pensam que poderiam tê-lo feito melhor, e nunca estão satisfeitos com o próprio esforço nem com os resultados que obtêm. Trabalham demais e sofrem muito com os erros que atribuem a si mesmos.
Às vezes, os erros se devem aos outros, mas essas pessoas também se sentem responsáveis por eles.

ELM
Ulmis Procera

Para os que estão fazendo um bom trabalho, seguindo a vocação de sua vida, que esperam fazer algo importante e, com freqüência, em benefício da humanidade.

Em certas ocasiões, essas pessoas podem ter momentos de depressão, quando sentem que a tarefa que empreenderam é demasiado difícil e que ultrapassa as forças de um ser humano.

SWEET CHESTNUT
Castanea Sativa

Para os momentos em que a angústia é tão grande que parece absolutamente insuportável.

Quando a mente ou o corpo se sentem no limite de suas forças e nada mais podem fazer.

Para quando se tem a impressão de que só resta a destruição e o aniquilamento.

STAR OF BETHLEHEM
Ornithogalum Umbellatum

Para os que estão muito angustiados, em circunstâncias que geram uma grande desdita momentânea.

O choque de uma notícia grave, a perda de um ente querido, o medo que se segue a um acidente, etc.

Para os que, num determinado período, se recusam a ser consolados, este remédio traz alívio.

WILLOW
Salix Vitellina

Para os que sofreram uma adversidade ou uma desgraça, e que acham muito difícil aceitá-la sem lamentações ou ressentimentos, pois julgam a vida mais pelas vitórias que conquistam.

Parece-lhes que não merecem um revés tão grande, que isso é injusto, fazendo com que fiquem profundamente amargurados. Tais pessoas costumam perder o interesse e mostram-se menos eficientes nas coisas da vida que antes apreciavam.

OAK
Quercus Robur

Para os que se debatem e se empenham denodadamente para serem bem-sucedidos ou pelas coisas da vida cotidiana, tentando uma coisa atrás da outra, ainda que seu caso pareça desesperado.

Continuarão lutando. Ficam descontentes consigo mesmos na enfermidade, se esta interfere com seus deveres ou os impede de ajudar aos demais.

São pessoas corajosas, que enfrentam as grandes dificuldades sem perder a esperança nem deixar de se esforçar.

CRAB APPLE
Malus Pumila

É o remédio da limpeza.

Para os que sentem como se tivessem em si algo não muito limpo.

Às vezes, trata-se de algo aparentemente de pouca importância; em outros casos, pode haver uma doença mais grave que é quase ignorada em comparação com o problema que os perturba no momento.

Em ambos os casos se encontram ansiosos por se verem livres de uma coisa em particular que a eles parece maior e tão importante que é preciso curar-se dela.

Ficam muito abatidos se o tratamento fracassa.

Este remédio limpa e purifica as feridas, se o paciente tem motivos para crer que ingeriu algum veneno que deva ser eliminado.

EXCESSIVA PREOCUPAÇÃO COM O BEM-ESTAR DOS OUTROS

* CHICORY
Cichorium Intybus

Para os que pensam muito nas necessidades dos outros e tendem a cuidar excessivamente das crianças, dos familiares e dos amigos, e sempre encontram algo que precisam endireitar. Essas pessoas estão continuamente corrigindo o que lhes parece errado e se comprazem com isso. Querem que aqueles dos quais cuidam permaneçam perto delas.

* VERVAIN
Verbena Officinalis

Para os que têm princípios ou idéias fixas, que estão certos de estarem com a verdade e, por isso, raras vezes mudam.

Tais pessoas desejam veementemente converter para o seu modo de ver a vida todos aqueles que as rodeiam.

Têm grande força de vontade e muita coragem quando estão convencidas das coisas que querem ensinar.

Na enfermidade, ainda lutam, quando outros já teriam desistido de tudo.

VINE
Vitis Vinifera

Para as pessoas muito capazes, seguras da própria competência, com fé no êxito.

Por serem tão seguras, acreditam que seria útil convencer os demais a fazerem as coisas à sua maneira, ou como estão convencidas de que é certo. Mesmo enfermas, dão instruções a quem cuida de seu tratamento.

Podem ser muito valiosas em casos de emergência.

BEECH
Fagus Sylvatica

Para os que sentem necessidade de ver mais beleza e bondade em tudo o que os rodeia. E, mesmo que muitas coisas pareçam andar mal, necessitam ter a capacidade de ver o bem crescendo ali, para que possam ser mais tolerantes, indulgentes e compreensivos com as diferentes maneiras com que cada indivíduo e cada coisa caminha até a sua perfeição final.

ROCK WATER

Para os que são muito austeros em seu modo de viver; privam a si mesmos de muitas alegrias e prazeres da vida porque consideram que isso poderia interferir no seu trabalho.

São mestres severos para si mesmos. Desejam estar bem, fortes e ativos, e farão qualquer coisa que julgarem conveniente para se manterem assim. Esperam servir de exemplo que atraia as outras pessoas que podem então seguir as suas idéias e, conseqüentemente, se tornarem melhores.

MÉTODOS DE DOSAGEM

Todos esses remédios são puros e inofensivos, e não são perigosos se utilizados em demasiada quantidade ou freqüência, embora apenas um mínimo seja suficiente para atuar como dose. Se um remédio não indicado para determinado caso for utilizado, tampouco será prejudicial.

Para preparar a mistura, retirar duas gotas do frasco do remédio e despejá-las num vidrinho* quase cheio de água; para que se preserve algum tempo, pode-se acrescentar um pouco de *brandy* como conservante.

O frasco do remédio é utilizado para prover as doses, e tudo quanto se requer são apenas algumas gotas dele, tomadas com um pouco de água, de leite ou do que quer que seja apropriado.

Em casos urgentes, pode-se ministrar as doses em intervalos de poucos minutos, até que se perceba a melhora; em casos graves, aproximadamente a cada meia hora; e em casos persistentes, a cada duas ou três horas, ou na freqüência que o paciente sentir necessidade.

---

* De um tamanho até 30 ml. Dão-se instruções completas juntamente com os remédios.

Nos pacientes inconscientes, umedecer-lhes os lábios freqüentemente.

Sempre que houver dor, rigidez, inflamação ou qualquer moléstia local, uma loção também deveria ser aplicada. Para isso, pingar algumas gotas do frasco numa vasilha com água, umedecer um pano e colocá-lo sobre a região afetada; ele pode ser umedecido de quando em quando, conforme a necessidade.

Aspersões ou banhos com água misturada às gotas dos remédios podem ser benéficos.

AGRIMONY	*Agrimonia Eupatoria*
ASPEN	*Populus Tremula*
BEECH	*Fagus Sylvatica*
CENTAURY	*Centaurium Umbellatum*
CERATO	*Ceratostigma Willmottiana*
CHERRY PLUM	*Prunus Cerasifera*
CHESTNUT BUD	*Aesculus Hippocastanum*
CHICORY	*Cichorium Intybus*
CLEMATIS	*Clematis Vitalba*
CRAB APPLE	*Malus Pumila* ou *Pyrus Malus*
ELM	*Ulmus Campestris* ou *Ulmis Procera*
GENTIAN	*Gentiana Amarella*
GORSE	*Ulex Europaeus*
HEATHER	*Calluna Vulgaris*
HOLLY	*Ilex Aquifolium*
HONEYSUCKLE	*Lonicera Caprifolium*
HORNBEAM	*Carpinus Betulus*
IMPATIENS	*Impatiens Royalei* ou *Impatiens Grandulifera*
LARCH	*Larix Europea* ou *Larix Decidua*
MIMULUS	*Mimulus Luteus* ou *Mimulus Guttatus*

MUSTARD	*Sinapsis Arvensis*
OAK	*Quercus Pedunculata* ou *Quercus Robur*
OLIVE	*Olea Europaea*
PINE	*Pinus Sylvestris*
RED CHESTNUT	*Aesculus Carnea*
ROCK ROSE	*Helianthemum Vulgare* ou
ROCK WATER	*Helianthemum nummularium*
SCLERANTHUS	*Sclerantus Annuus*
STAR OF BETHLEHEM	*Ornithogalum Umbellatum*
SWEET CHESTNUT	*Castanea Vulgaris* ou *Castanea Sativa*
VERVAIN	*Verbena Officinalis*
VINE	*Vitis Vinifera*
WALNUT	*Juglans Regia*
WATER VIOLET	*Hottonia Palustris*
WHITE CHESTNUT	*Aesculus Hippocastanum*
WILD OAT	*Bromum Asper* ou *Bromus Mamosus*
WILD ROSE	*Rosa Canina*
WILLOW	*Salix Vitellina*

A alteração dos nomes latinos em certas plantas, na edição d*Os Doze Remédios*, deve-se a mudanças de nomenclatura ditadas pelas normas internacionais de Nomenclatura Botânica.

Maiores informações sobre a Medicina Floral e os frascos dos 38 remédios podem ser obtidos em:

The Dr. Edward Bach Foundation
Mount Vernon, Sotwell, Wallingford, Oxon,
OX 10 OPZ – UK (England)
Fone: 0044-1491-834678 – Fax: 0044-1491-825022
http://www.bachcentre.com

ou

Nelson
http://www.nelsons.net

No Brasil:

Mona's Flower Importadora e distribuidora Oficial
Rua José de Alencar, 365 – CEP: 13013-040
Campinas – São Paulo – Brasil
Tel/Fax: (19) 3237-3366 / 3237-3367
E-mail: monas@correionet.com.br
http://www.monas.com.br

Dinarmarca
    Camette, Murervej 16, 6700 Esbjerg, Denmark.
    (Tel. 05-155444).

Itália
    Guna, via Staro 10,20134 Milão, Itália.
    (Tel. 039 22155107). Sanerbe s.r.l., Via Kennedy, 13-40069
    Zola Predosa (BO). Italy. (Tel. 051/75.46.10).

França
    M. Jean Revillion. "La Jonquille", 7 Route de Fournes,
    Escobecques, 59320 Haubourdin, França
    (Tel. 20-07.63.97). M. F. Deporte, Lasserre s.a. BP. 15, Les
    Fougeres, 33 650 Labrede, França (Tel. 56.20.33.66).

No Brasil, maiores informações sbre a Medicina Floral podem ser obtidas pelos telefones:

    (071) 359-3888 - Salvador, Bahia
    (071) 247-2766 - Salvador, Bahia
    (071) 245-7531 - Salvador, Bahia
    (031) 227-6331 - Belo Horizonte, Minas Gerais
    (031) 337-3424 - Belo Horizonte, Minas Gerais

✥

    Que tenhamos sempre alegria e agratidão em nossos corações pelas ervas que, em Seu Amor por nós, o Grande Criador de todas as coisas colocou nos campos para nossa cura.